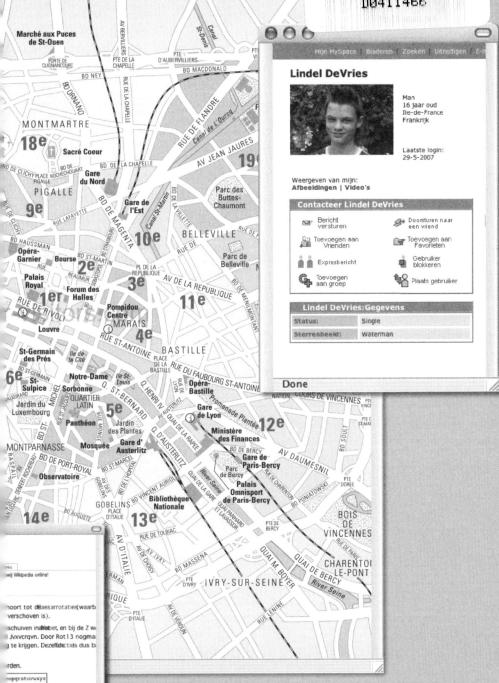

subroza.nl

subroza.nl

Marcel van Driel
Omslagillustratie van Joyce van Oorschot

LEESN!VEAU

geheimen, thriller

Toegekend door Cito i.s.m. KPC Groep

1e druk 2007
ISBN 978.90.276.7448.7
NUR 283

© 2007 Tekst: Marcel van Driel
© 2007 Omslagillustratie: Joyce van Oorschot/Villa Grafica
Uitgeverij Zwijsen B.V., Tilburg
Vormgeving: Rob Galema

Voor België:
Zwijsen-Infoboek, Meerhout
D/2007/1919/293

Inhoud

Beste lezer

Begin 2007 kreeg ik bezoek van een dertienjarige jongedame uit Hilversum. Ze noemde zichzelf Roza, al vermoed ik dat het niet haar echte naam was. Ze informeerde of het mogelijk was dat ik de belevenissen van haar en haar broer Lindel zou verwerken tot een roman.

Twee dagen lang luisterde ik naar een van de meest fantastische verhalen die ik ooit hoorde. Roza vertelde hoe haar Amerikaanse vader na zijn overlijden een serie puzzels had achtergelaten op internet voor haar en haar broer. Ze hadden slechts drie dagen om alle puzzels op te lossen.

Ik weet nog steeds niet of het allemaal echt is gebeurd, wat ze vertelde, maar de websites die ze noemde bleken in ieder geval allemaal te bestaan. Uiteindelijk heb ik haar relaas opgeschreven zoals ze het vertelde, en dat is het boek geworden dat je nu in handen hebt.

Om de lezer (jij dus) de kans te geven de internetpuzzels zelf op te lossen, heb ik er maar een klein aantal in dit boek herhaald. De rest kun je zelf online spelen. Uiteraard hóéf je de computer niet aan te zetten; je kunt subroza.nl ook gewoon 'ouderwets' thuis liggend op de bank lezen. Maar als je wilt ervaren wat Roza en Lindel hebben meegemaakt, surf dan naar *www.subroza.nl*!

Marcel van Driel
Utrecht, mei 2007

11

Parijs

*C*olin stond in de rij voor het loket van de grootste bioscoop op de Champs Elysées. De nieuwe James Bondfilm, Casino Royale, was net in première gegaan, en hij was erg benieuwd of de film zo goed was als Dr. No, de Bondfilm die hij als achtjarig jongetje voor het eerst op televisie had gezien.

Het was drie dagen geleden dat hij de diefstal gepleegd had (is het diefstal als je iets steelt wat eigenlijk van jezelf is?) en Colin durfde voor het eerst weer de straat op te gaan. Wel zorgde hij ervoor dat zijn blik naar beneden gericht bleef, voor het geval iemand hem zou herkennen. Gelukkig zag hij er minder Amerikaans uit dan hij was. Dat krijg je na tientallen jaren in Parijs gewoond te hebben, dacht hij: je wordt bijna één van hen.

Zijn baas, Benjamin Little, had de afgelopen dagen niets van zich laten horen. Zou hij niet gemerkt hebben dat het computerprogramma verdwenen was? Colin kon het zich niet voorstellen. Niet dat het hem wat uitmaakte: de drie dagen dat hij ondergedoken had gezeten, waren goed besteed. Hij had nu alle touwtjes in handen; ze konden hem niets meer maken.

Eindelijk was hij aan de beurt. Hij leunde op zijn wandelstok, terwijl de jongedame achter het glazen scherm *hem een bioscoopkaartje en wat wisselgeld toeschoof. Colin mompelde een bedankje in het Frans en schuifelde leunend op zijn stok naar de ingang.*

Hij klom voorzichtig de trap op en ging de bioscoopzaal in, waar de film al begonnen was. Colin ging op de achterste rij zitten, terwijl op het witte doek James Bond zijn prooi in een hoekje opwachtte.

Naast Colin nam een knappe vrouw plaats, die hij vanuit zijn ooghoeken bewonderend in zich opnam. Ze was gekleed in een eenvoudig maar peperduur designjurkje, met daaroverheen een sneeuwwitte bontmantel. Haar lange, donkere haren vielen in golven over haar schouders, wat prachtig contrasteerde met het wit van haar jas. Ze was wat de Fransen een 'femme fatale' noemen: een gevaarlijke vrouw.

'Bonjour, Mr. DeVries,' begroette ze hem met zwoele stem. 'Can I sit here?' Haar Engels was nauwelijks verstaanbaar door haar Franse tongval, maar gelukkig was Colin wel wat gewend, na al die jaren Parijs.

'Kennen wij elkaar?' vroeg hij hoopvol. Hij werd tenslotte niet dagelijks aangesproken door zulke mooie vrouwen.

'Laten we zeggen dat we een gezamenlijke opdrachtgever hebben,' fluisterde de vrouw.

Een gezamenlijke opdrachtgever, dat kon alleen maar Benjamin Little zijn. Ze hadden hem gevonden. Shit. De vrouw schoof dichter tegen hem aan, maar Colin was bang dat ze een ander avontuurtje in gedachten had dan hij. Hij wilde opstaan, maar ze boog zich opzij en fluisterde in zijn oor: 'Mijn opdrachtgever, meneer Little, vond het eigenlijk niet eens heel vervelend dat je zijn kluis openbrak, Colin. Hij moedigt crimineel gedrag op zich graag aan, maar hij ziet liever wel dat zijn personeel de kluizen van de concurrent onder handen neemt, in plaats van die van hem. Maar zelfs dan was het verstandiger geweest als je alleen zijn geld had meegenomen, Colin, en niet het computerprogramma. Je wist dat hij je niet voor niets van het FACES-project af had gehaald.'

'Waarom deed hij dat dan?' zei Colin. 'Het computerprogramma was bijna klaar! En het was nota bene míjn project: ik heb het verzonnen én geprogrammeerd. Het was mijn geesteskind!'

'Omdat ... laten we zeggen dat de software gebruikt kan worden om iets tevoorschijn te halen wat Mr. Little liever verborgen houdt.'

'Jennifer?' vroeg Colin. 'Gaat dit soms over Jennifer?'

De vrouw hief fronsend haar hoofd op en keek om zich heen om zich ervan te verzekeren dat niemand in de bioscoopzaal meeluisterde.

'Die naam kun je beter niet hardop zeggen, Colin! Niet als je hier levend vandaan wilt komen, tenminste ...'

'Ik ben niet bang,' antwoordde Colin kalm. Hij bekeek de vrouw nog eens goed. Ze leek meer op een fotomodel dan op iemand die hem een lesje kwam leren. Waarom stuurde Little niet een van zijn lijfwachten op hem af? Deze vrouw moest hij zelfs aankunnen, ook al was hij dan ernstig ziek. Hij knipoogde ondeugend naar haar.

'Zullen we erover praten tijdens een dinertje?' vroeg hij. 'Geen enkele reden waarom we het nuttige niet met het aangename kunnen verenigen, toch?'

'Colin, Colin,' antwoordde de vrouw lachend. 'Benjamin waarschuwde al dat je last had van grootheidswaanzin. Waarom zou een vrouw als ik uit eten willen met iemand als jij? Geloof me, ik ben alleen maar geïnteresseerd in het computerprogramma; verder kun je alles uit je hoofd zetten.'

'FACES heb ik helemaal alleen geschreven!' zei Colin verontwaardigd. Zijn linkerhand klemde zich om zijn wandelstok, die hij sinds kort permanent nodig had om te kunnen lopen.

'Maar wel in de baas zijn tijd, Colin, op zijn kantoor, terwijl hij jouw salaris betaalde en jij zijn koffie dronk. Dat maakt het computerprogramma automatisch zijn eigendom. Dus wees een braaf jongetje en vertel mij waar je de cd-rom verborgen hebt.'

'Die ligt in een kluis.'

'Waar?'

'Op een station.'

'Welk station, Colin? Een treinstation?'

Colin zweeg en probeerde opnieuw overeind te komen. De vrouw kwam nu zelf uit haar stoel omhoog en drukte hem terug in de zijne. Hij staarde naar haar vingers, die versierd waren met een heleboel bijzondere ringen die schitterden in het flikkerende bioscooplicht. De vrouw boog zich over Colin heen, als een verliefd meisje over haar nieuwe

15

vriendje, en ging op zijn schoot zitten.

'Welk treinstation, Colin?' fluisterde ze liefdevol in zijn oor. Hij voelde hoe het puntje van haar tong zijn oorlelletje beroerde. 'En waar is de kluissleutel?'

'Die heb ik verstuurd!'

'Laat me raden, naar je zoon of dochter?'

'Wat?' Colin keek haar geschrokken aan. 'Wat weet jij van mijn kinderen?'

'Alles, Colin, alles. Ik weet dat je dochter Roza heet en Nederlandse is, dat je zoon Lindel samen met zijn moeder en broertje Pascal hier in Parijs woont, en dat hij vaker spijbelt dan naar school gaat. Ik weet alles van hen, net zoals ik alles van jou weet: je obsessie voor James Bond, en hoe ziek je lichaam is. Hoelang heb je nog te leven, Colin? Eén jaar, twee?'

Colin zakte lijkbleek onderuit in zijn bioscoopstoel.

'Wil je dat ik je kinderen een bezoekje breng, Colin?' vervolgde de vrouw. 'Wil je dat ik verder met hen onderhandel in plaats van met jou?'

Colin probeerde haar van zich af te duwen en brieste haar toe: 'Blijf bij mijn kinderen vandaan! Zij hebben hier niets mee te maken; ze kennen mij niet eens!'

'Geef me de kluissleutel, Colin, en de naam van het treinstation; dan laten we je kinderen erbuiten.'

Colin grijnsde zenuwachtig: 'Jullie zijn te laat. Ik heb de sleutel twee dagen geleden verstuurd. Hij ligt bij mijn notaris in Amsterdam in een brandkast waar zelfs jullie niet bij kunnen. Mijn kinderen krijgen alles als ik overleden ben, wat nog zeker twee jaar duurt, als het aan mij ligt!'

'Is dat zo, mijn liefste Colin?' De vrouw greep naar de binnenzak van haar bontmantel en haalde er een injectie- spuit uit zoals ze die in ziekenhuizen gebruiken. Het ding was gevuld met een of andere lichtgroene vloeistof. De vrouw klemde zijn hals vast met een ijzeren greep en drukte de injectienaald onder zijn kin tegen de huid.

'Ben je klaar om de belangrijkste beslissing in je leven te nemen, Colin?'

Pas toen drong het tot Colin door dat hij echt in levens- gevaar was. Hij hief zijn wandelstok omhoog en sloeg met al zijn kracht tegen haar hoofd. Hij raakte haar precies boven haar rechteroog en zag hoe ze begon te bloeden. De vrouw vloekte in het Frans en duwde de injectienaald hard in zijn hals. Colin voelde de giftige vloeistof zijn lichaam binnendringen. Hij verslapte en alles werd zwart voor zijn ogen. Het laatste wat hij hoorde, was hoe iemand een am- bulance belde.

Sarah

*T*rrrrrring.

Ik was helemaal alleen thuis toen de telefoon rinkelde. Ik lag languit op de bank te kijken naar een televisie-uitzending over prinses Diana (alias Lady Di), die in 1997 omgekomen was bij een auto-ongeluk in Parijs. Lady Di bleek ineens een dochter te hebben van mijn leeftijd, waar niemand vanaf had geweten. Ze heette Sarah en ze leek echt sprékend op haar moeder. Hoewel Sarah nooit aanspraak zou kunnen maken op de Engelse troon (die ging eerst naar prins Charles en daarna naar prins William), had ze volgens haar advocaat wel recht op heel veel koninklijk geld. Handig.

Trrrrriiing.

Voor mij lag een aardrijkskundeboek waar ik met een schuin oog in keek. Tussen mij en mijn studieboek in stond strategisch een schaal met paprikachips geplaatst, zodat ik zonder al te veel te bewegen kon eten, lezen en tv-kijken tegelijk. Op het televisiescherm vertelde Sarah hoe ze als baby ter adoptie was aangeboden aan haar pleegouders. Pas enkele weken geleden was ze er per ongeluk achter gekomen wie haar echte moeder was. Lijkt me bizar, als je ineens te horen krijgt dat je de dochter bent van de beroemdste vrouw van Engeland. (Of misschien wel van de wereld? Kun je eigenlijk googelen hoe beroemd iemand is? Hmmm, straks eens uitproberen.)

Trrrrrriiing.

Ik zuchtte. Ania, onze Poolse hulp in de huishouding, was al vertrokken toen ik thuiskwam, dus die kon niet opnemen. Ik greep naar de afstandsbediening, die tussen de kussens van de bank zat, en zette het geluid van de televisie af. Het was ineens doodstil in huis. Gelukkig was het tv-programma ondertiteld, dus ik kon gewoon alles blijven volgen. Ondertussen liep ik zo langzaam mogelijk naar de telefoon. Mijn mond zat nog vol chips en ik wilde proberen die weg te werken voordat ik opnam. Op televisie kwam een mooie vrouw met donkerbruin haar in beeld, gekleed in wat volgens mij een Chaneljurkje was. Het bleek Sarahs pleegmoeder te zijn. Aan de jurk en sieraden van haar pleegmoeder te zien, groeide Sarah nu ook al niet armoedig op.

Trrrriiiiing.

Bij de vierde keer rinkelen was mijn mond eindelijk leeg. Ik nam op en zei vrolijk: 'Hallo, met Roza!'

'Mevrouw Poorterman?' hoorde ik een mannenstem aan de andere kant zeggen. De stem was formeel en klonk als van iemand die de veertig al lang gepasseerd was. Ik streepte meteen 'telefonische verkoop' weg van mijn lijstje van potentiële onbekende bellers. Daar nemen ze altijd jonge studenten voor, die hun tekst hakkelend van een computerscherm voorlezen. Deze meneer klonk serieus, alsof hij een belangrijke mededeling had, misschien wel een vervelende mededeling. Een rilling liep over mijn rug.

'U spreekt met Roza Poorterman. Met wie spreek ik?'

'Mijn naam is Martin Hughes. Van notariskantoor Hughes & Janssen,' voegde hij er nadrukkelijk aan toe. Hij had een licht buitenlands accent, waarvan ik vermoedde dat het Amerikaans was. Waarom belde een Amerikaanse notaris ons? De enige Amerikaan die ik kende was ...

'Gaat het over mijn vader?' informeerde ik snel.

'Is mevrouw Margriet Poorterman thuis, jongedame?'

'Nee, mijn moeder is op kantoor,' antwoordde ik. 'Dat denk ik tenminste, maar misschien staat ze wel in de rechtszaal vandaag. Is er ... (iemand overleden, wilde ik eigenlijk zeggen) iets gebeurd?'

Het bleef even stil aan de andere kant. Ik kon de notaris bijna door de telefoonlijn heen horen denken: Zal ik wachten tot haar moeder thuiskomt en haar in de tussentijd in spanning laten? Of ...

'Mejuffrouw Roza?' Kennelijk was hij tot een besluit gekomen. 'Ik heb een bijzonder vervelende mededeling. Uw vader is recentelijk overleden. Ik kan u helaas niet veel meer details vertellen door de telefoon, maar als u morgen met uw moeder op ons notariskantoor zou kunnen verschijnen? Uw vader heeft u en uw broer genoemd in zijn uiterste wil en ...'

'Weet u wel zeker dat u de goede Poorterman hebt,

meneer … Hughes was het?' onderbrak ik hem. 'Wij heten Poorterman, met dubbel oo. Volgens mijn moeder wist mijn vader niet eens dat ik bestond, dus hoe kan hij mij dan wat nagelaten hebben? En wat die zogenaamde broer betreft: ik ben al dertien jaar enig kind, al had ik natuurlijk best wel …'

'Uw halfbroer, bedoel ik natuurlijk, Lindel,' hernam Hughes het gesprek. 'Van uw vaders eerste vrouw? Uit Parijs?'

Ik zei niets en zag hoe Sarah op de televisie een traan wegpinkte, terwijl ze een brief voorlas (geschreven aan Diana?). Ik probeerde mij voor te stellen hoe zij zich moest hebben gevoeld toen ze zich realiseerde dat ze nooit met haar echte moeder zou kunnen praten. Misschien voelde ze wel hetzelfde als ik nu. Wat zouden we elkaar veel te vertellen hebben, Sarah en ik. Ik over de grote onbekende en nu ook nog overleden Amerikaan Colin DeVries en zij over Diana, prinses van Wales, publiek bezit van de hele wereld. *Rest in peace.*

De moeder van Roza P.

Ik was drie toen prinses Diana overleed. Mijn moeder was in die tijd vierdejaars rechtenstudent en zorgde in haar eentje voor mij. Naar colleges ging ze alleen als ze er écht niet onderuit kwam en dan werd ik naar mijn oma gebracht, die in Aalten woonde, in hetzelfde huis waarin mijn moeder geboren was.

Nadat ze afgestudeerd was, ging mijn moeder bij advocatenkantoor Colschate en Vermeulen in Hilversum werken en mocht ik eindelijk naar school. Ik had me er maandenlang op verheugd (*what was I thinking*...). We verhuisden al snel naar een gigantische villa met – echt waar – acht slaapkamers, drie badkamers, een huiskamer waarin je kunt skaten zonder iets omver te stoten (*trust me,* ik heb het geprobeerd ...) en een tuin zo groot als een parkeerplaats van een supermarkt. Geen idee waar we dat allemaal voor nodig hebben, want we wonen er nog steeds met z'n tweetjes ... (En onze kat Mollig, die vaak zoek is. Vind je het gek, met zoveel kamers ...)

Mijn moeder is een hardwerkende, hyperactieve advocaat, allergisch voor het huishouden, koken en romantisch ingestelde mannen (vandaar de lege kamers). Ze was de eerste vrouw op haar kantoor die partner werd (dat betekent zoiets als dat je tot mede-eigenaar wordt gebombardeerd en nog harder moet werken). De meeste collega's lopen met haar weg (al denk ik dat ze stiekem ook wel eens gek van haar worden, aangezien ze achter haar rug de ADHD-advocaat wordt genoemd ...). Colschate, Vermeulen en Poorterman, zo heet het advocatenkantoor nu. Margriet Poorterman, dat is dus mijn moeder. Ik ben Roza Poorterman, aangenaam. En nee, ik heb géén ADHD, ik praat gewoon altijd zoveel ... (Mijn moeder vindt dat ik een ongelofelijke ouwehoer ben, die maar doorpraat en doorpraat en nooit langer dan één seconde bij het onderwerp blijft. Geen idee hoe ze daarbij komt ...)

Thuis zou ik mijn moeder nooit hebben aangenomen, want voor het huishouden is ze volstrekt onbetrouwbaar. Maar ja, het is mijn moeder en moeders neem je niet aan, die krijg je gewoon. Verder heb ik niet zoveel over haar te klagen, hoor, al moest ik op de basisschool soms aan verbaasde leerkrachten uitleggen dat ik praktisch gezien geen moeder heb, als ze vroegen of ze kon komen helpen als voorleesmoeder/knutselhulp/schoolpleintoezichthoudster. (Doorhalen wat niet van toepassing is, in mijn geval alles dus).

Ik zou liegen als ik zou zeggen dat mijn leventje vóór Colins overlijden ook maar enigszins leek op dat van een doodgewone tiener. Niet alleen omdat ik nooit een vaderfiguur in mijn leven heb gekend, maar ook omdat al mijn levenswijsheid komt van een alleenstaande moeder, van wie het volledige wereldbeeld bestaat uit werken, shoppen en vechten. Vechten tegen de wetten die mannen beter beschermen dan de vrouwen die ze mishandelen, stalken, bedriegen of misbruiken. Vechten tegen de moraliserende opmerkingen van buren of leerkrachten of – nog erger – vrienden, die misprijzend oordelen over de manier waarop mijn moeder mij opvoedt en vrijlaat. Want mij vrijlaten, dat doet ze meestal wel.

Een 'normale' dag ziet er bij ons ongeveer zo uit: 's morgens gaat mijn moeder absurd vroeg de deur uit, rond een uur of zes. Nog voordat ik opsta om te douchen, is zij al vertrokken! Om de andere dag komt onze huishoudelijke hulp Ania langs om alle kamers schoon te houden en te koken. Wanneer ik bezweet thuiskom (van het fietsen, mijn conditie is namelijk waardeloos), wacht Ania mij op in een brandschoon huis met een beker thee en mijn favoriete chocoladekoekjes. Daarna vertrekt ze naar haar volgende werkadres en heb ik het rijk alleen. Iedere avond eet ik – meestal alleen, soms met een vriendin – wat onze huishoudster heeft klaargemaakt (of een diepvriespizza of stoommaaltijd als ze die dag niet is geweest).

Rond een uur of negen (of tien, of elf) komt mijn moeder thuis en verwacht dan dat ik zeeën van tijd heb om mijn schooldag met haar door te nemen. En o wee als ik antwoord met 'Wel goed', als ze vraagt hoe mijn dag is geweest. Als een echte advocaat ondervraagt ze me over de lessen en de bijbehorende leraren, mijn vriendinnen, of ik het wel leuk vind op mijn nieuwe school (ik zit in de brugklas) en of ik al een vriendje heb (nee, dus). Ondertussen werkt zij haar avondeten weg, dat ik opgewarmd heb in de magnetron. Ze controleert of ik mijn huiswerk heb gemaakt (en dan bedoel ik ook écht controleren, als in: 'Laat je huiswerk eens zien, wat was de opdracht, hoe heb je dit gedaan en hoe ben je hieraan gekomen?'). Ze overhoort me uitgebreid als ik de volgende dag een schriftelijke overhoring heb, of een proefwerk. Toen ik een keer boos opmerkte of ze me soms niet vertrouwde, zei ze dat ze zich graag aansloot bij Ronald Reagan (een voormalige president van Amerika, die ze verder verfoeit), die altijd zei: '*Trust, but verify*': vertrouw, maar controleer. Dat doet ze bij haar cliënten en dus ook bij haar dochter. Haar succes geeft haar gelijk; ze wint de meeste rechtszaken (als ze al voor de rechter komen, want meestal maakt ze een *deal* voordat de zaak voorkomt) en ook haar dochter (ik dus, duh) haalt superhoge cijfers (behalve voor Frans, maar je kunt niet alles hebben).

Ze geeft mij ook extra huiswerk op dat niets met school te maken heeft. Iedere maand word ik bijvoorbeeld geacht minimaal twee boeken te lezen, eentje dat ik zelf heb uitgezocht en eentje dat mijn moeder voor mij uit haar boekenkast heeft gehaald. Soms zijn dat jeugdromans, zoals *De geur van melisse*, en *Jij, jij en jij* van Per Nilsson (allebei erg mooi!) en soms boeken voor volwassenen, zoals *Het gouden ei* van Tim Krabbé (waarin iemand levend begraven wordt, gruwelijk!) en

De avonden van Gerard Reve (moeilijk boek voor een brugklasser, hoor, maar vertel dat maar eens aan mijn moeder ...).

Soms – een enkele keer – mag ik een jeugdboek lezen waar ze zelf goede herinneringen aan bewaart. Haar favoriete boek is *Momo en de tijdspaarders* van Michael Ende. Ik denk dat mijn moeder graag zo'n bloem zou willen hebben zoals Momo had, waarmee je de tijd kunt stilzetten, zodat ze meer tijd zou hebben voor mij én voor haar werk.

Op een dag beloofde mijn moeder dat ze het allemaal anders ging doen. Ze ging minder werken, vaker koken, ze zou een betere moeder worden en stoppen met roken. Het was nadat we samen een televisieprogramma hadden gekeken over ontspoorde kinderen uit welgestelde gezinnen. Mijn moeder kreeg visioenen waarin ik aan de drugs verslaafd raakte en bedelend mijn dagen doorbracht op het centraal station van Utrecht (of nog erger: Amsterdam). Ik moest prompt die maand twee boeken uit haar boekenkast lezen: *De moeder van David S.* van Yvonne Keuls en *Christiane F.: verslag van een junkie*. Het waren boeken over de gevolgen van drugsgebruik waar ik, volgens mijn moeder, 'veel van kon leren'. Dat zei ze met een blik alsof ze plotseling in de moeder van Roza P. was veranderd. Prompt stak ze nog een sigaret op.

Van minder werken kwam uiteraard helemaal niets terecht. Er was altijd nog die éne zaak die af moest, die éne vrouw die dringend hulp nodig had (mijn moeder doet voornamelijk vrouwenzaken), dat éne dossier dat afgesloten moest worden. En die tijdbloem liet ook op zich wachten.

Toch vind ik het stiekem wel oké zo. Ik klaag wel eens tegen mijn vriendinnen dat ik alleen maar magnetronmaaltijden eet, dat mijn moeder zelden thuis is en dat ik aldoor háár boeken moet lezen. Maar ondertussen geniet ik wel van de vrijheid die vriendinnen niet hebben. Soms denk ik wel eens dat ik iedere avond meer (echte) aandacht van mijn moeder krijg dan mijn vriendinnen de rest van de week van hun ouders. Maar dat zal ik natuurlijk nooit hardop zeggen.

Afscheid van mijn vader

Mijn moeder zei helemaal niets toen ik haar vertelde dat mijn vader was overleden. Ze stak een sigaret op en schonk zichzelf een glas whisky in zonder ijs. We zaten aan de keukentafel, haar eten stond onaangeroerd voor haar. Later zou ik het bord precies zó in de koelkast zetten als ik het eruit had gehaald. Haar mes en vork konden ook ongebruikt de la weer in. Alleen de whiskyfles was aan het eind van de avond leeg. Net als mijn moeder.

Na haar eerste glas liep mijn moeder naar de iPod (die bij ons uiteraard op een peperdure geluidsinstallatie is aangesloten). Even later dansten er melancholieke pianoklanken door de huiskamer. Mijn moeder ging weer zitten en schonk zichzelf een tweede glas in.

Zoveel triestheid kon ik niet aan en ik vertrok naar mijn slaapkamer, waar ik mijn laatste twee knuffelbeesten van het bed smeet en hun plaats innam. Ik staarde naar het plafond, met mijn armen onder mijn hoofd, en probeerde mij mijn vader voor te stellen.

Mijn knuffels lagen op de grond en bekritiseerden geluidloos de vergeelde paardenposters die ik in een grijs verleden tegen het schuine dak had geplakt. In een opwelling pakte ik een lege, kartonnen doos uit de logeerkamer (die nog nooit was gebruikt door een logé, maar die voornamelijk onuitgepakte dozen met boeken en kleding bevatte) en begon mijn slaapkamer leeg te ruimen. De posters gingen opgevouwen de kartonnen doos in. Kleren die al jaren veel te klein waren maar die ik niet wilde weggooien, gingen er netjes opgevouwen achteraan. Als laatste verdwenen mijn teddybeer en knuffelkonijn in de doos. Ik sloot de flappen en bracht hem terug naar de logeerkamer. Toen ik terugkwam, voelde mijn kamer leeg en rustig aan.

Ik zette mijn computer aan en begon een beetje te surfen. Hoe heette mijn halfbroer nou? Lindel of zoiets? Wat een rare naam, zal wel Frans zijn. Meneer Hughes had het over de eerste vrouw van mijn vader gehad; dat zou betekenen dat Colin met haar getrouwd was geweest. In dat geval zou het heel goed kunnen dat Lindel de achternaam van mijn vader had gekregen. Lindel DeVries, dat zou toch niet zo'n heel erg veelvoorkomende naam moeten zijn. Ik googelde zijn naam, had al snel beet en kwam op *fr.myspace.com* terecht, een soort Franse Hyves. Daar vond ik een homepage van iemand die Lindel DeVries heette op *www.myspace.com/195757851*. *Sherlock Poorterman strikes again!* Dus zo zag mijn halfbroer eruit. Hij had een beetje een matje (ieuw) en donkere ogen en hij keek mij meesmuilend aan. Wat hij allemaal te melden had, wist ik niet, want uiteraard was alles in het Frans geschreven. Ik begreep alleen dat hij vijftien was en met zijn moeder Marie-Julie (prachtige naam, waarom heb ik niet zo'n mooie naam?) en zijn jongere

29

broertje Pascal in Parijs woonde.

Tussendoor sloop ik af en toe naar beneden om te zien hoe het met mijn moeder ging. Ieder uur zag ze er triester uit en raakte de whiskyfles leger. Ik wou dat ik met haar kon praten, maar dat gaat niet met mijn moeder. Zij praat met jou, wanneer zij dat wil, over jouw problemen. (Waarom denk je dat ze advocaat is geworden? Precies ...)

Om kwart over twaalf kwam er een enorm kabaal van beneden. Ik vond mijn moeder kotsend en snotterend boven de toiletpot. Ze had de kapstok omgegooid in haar poging op tijd het toilet te bereiken. Ik maakte haar mond schoon en hielp haar met uitkleden. Daarna tilde ik haar zo goed en zo kwaad als het ging in het tweepersoonsbed. Huilend ging ik naar mijn eigen slaapkamer. Helaas was er niemand om mij in te stoppen die avond. Zelfs mijn knuffelbeesten waren er niet meer om mij te troosten.

Vergane glorie

Het notariskantoor was een beetje een troosteloze bedoening. Ik had een stijlvol en statig kantoorpand verwacht, met roodfluwelen tapijt op de grond en schilderijen van hooggeboren edellieden. Hoewel het pand zeker statig was en uitkeek op de Amsterdamse grachten, was de inrichting niet erg chic meer. Het tapijt was vast ooit bordeauxrood geweest (en misschien ook wel fluweel), maar het zag er nu vooral ontzettend vaal uit. 'Vergane glorie' noemde mijn moeder het. Ik keek naar haar en beet op mijn tong. Na gisteravond zag ze er zelf ook uit als vergane glorie. Ze was nog steeds lijkbleek en haar normaal onberispelijk aangebrachte make-up vertoonde nu spoortjes van haast, ongeduld en verdriet.

Om de paar minuten opende ze haar mobiel om te kijken of ze geen berichtje gemist had. Ze zei dat ze een belangrijk telefoontje verwachtte, maar we wisten allebei dat ze zich gewoon geen houding wist te geven. Jarenlang had ze gedaan alsof mijn vader niet bestond, maar nu hij er echt niet meer was, was hij aanweziger dan ooit.

Mijn moeder opende haar tas (Dolce & Gabbana, duur en foeilelijk, maar voor mijn moeders imago heel belangrijk) en haalde er een pakje sigaretten uit. Zonder

31

iets te zeggen wees ik haar op het niet-rokenbordje achter ons. Ik had een bloedhekel aan die stinkstokken en wou dat ze nu echt eens zou stoppen. Mijn moeder borg haar sigaretten weer op en begon opnieuw haar telefoon open en dicht te klappen. Ik zuchtte onhoorbaar en begon zachtjes te oefenen.

'Bonjour, Lindel. Je suis Roza, votre soeur. Cette femme est ma mere. Comment allez-vous?' Mevrouw Martina (mijn lerares Frans) zou trots zijn geweest. Mmmm, misschien niet over mijn uitspraak. Nog een keertje dan maar.

Opeens hoorde ik gedempte stemmen. Het klonk alsof twee mensen ruzie aan het maken waren. Even daarna zag ik de buitendeur opengaan. Een jongen van een jaar of vijftien stond in de deuropening. Ik herkende hem meteen van de MySpace-pagina. Naast hem stond een vrouw die sprekend op mijn moeder leek.

Ik was niet de enige die de overeenkomst zag. De vrouw in de deuropening verstarde toen ze mijn moeder zag zitten met ongeveer hetzelfde halflange, blonde haar, identieke smalle lippen en dezelfde overdaad aan make-up. Zelfs de kledingstijl kwam overeen, al had deze vrouw duidelijk minder geld te besteden dan mijn moeder. Beiden hadden rode ogen van het huilen.

Ze stapte naar binnen, gevolgd door Lindel.

Ik ging staan. *'Bonjour,'* zei ik terwijl ik mijn hand uitstak. *'Je suis Roza. Que c'est eh … comment?'* Shit! Stond ik daar gewoon te stotteren! Ik had nog wel zo geoefend! Ik voelde dat ik rood aanliep.

'Ik spreek gewoon Nederlands, hoor,' zei Lindel met een licht accent. 'Je hoeft je niet zo uit te sloven.'

'Je spreekt Nederlands?' stamelde ik verbaasd.

'Ja, mijn hele leven al. Ik ben tweetalig opgevoed.'

'Je lijkt op je vader ...' hoorde ik mijn moeder zeggen. Meer kon ze niet uitbrengen.

Lindel keek naar de grond en wist zich duidelijk geen raad met haar opmerking. 'Ik zou het niet weten,' mompelde hij. 'Ik kan hem mij niet meer herinneren ...'

Lindels moeder stapte naar voren en glimlachte geforceerd: 'Sprekend Colin, hè? Ik ben er inmiddels aan gewend, maar de eerste jaren ... Ik ben Marie-Julie De-Vries, Lindels moeder.'

Ze stak haar hand uit naar mijn moeder, die maar naar haar bleef staren. Uiteindelijk vermande ze zich en accepteerde ze de uitgestoken hand.

'Margriet Poorterman,' stamelde mijn moeder. 'Aangenaam.'

'U hebt uw eigen naam gehouden?' vroeg Marie-Julie.

'Wij waren niet getrouwd,' antwoordde mijn moeder stroef.

'Gaat u zitten,' gebaarde ik. 'We hebben nog even; de notaris zei dat we om tien uur terechtkonden. Jullie zijn mooi op tijd. Zijn jullie met de Thalys gekomen, of met het vliegtuig?'

'Ik denk dat dat wel genoeg vragen zijn, Roza,' zei mijn moeder geërgerd. Ze had natuurlijk helemaal gelijk, daar ging ik weer ... Als ik zenuwachtig ben, begin ik altijd te ratelen.

'Het is niet erg, hoor,' zei Marie-Julie. 'Zeg alsjeblieft gewoon "je" en "Marie-Julie", maar "tante" mag natuurlijk ook.'

(Mooi niet, dacht ik.)

'We zijn gisteren met de internationale trein uit Parijs gekomen en hebben in een hotel overnacht.' Ze ging samen met Lindel tegenover ons zitten. Ze zagen er moe uit en ik vroeg me af of ze überhaupt geslapen hadden. Misschien hadden ze net als ik de hele nacht naar het plafond liggen staren, fantaserend over een verleden waarin Colin DeVries een hoofdrol had gespeeld in plaats van een figurantenrol.

'Hoe ... Mag ik vragen ... wat voor iemand was mijn vader?' vroeg ik.

'Roza,' zei mijn moeder, 'zo is het genoeg!'

Maar Marie-Julie gebaarde dat het niet erg was. 'Ik kan me goed voorstellen dat ze nieuwsgierig is naar haar vader. Ik herinner mij hoe ik onder de indruk was toen ik hem voor het eerst ontmoette.' Haar gezicht, dat er tot nu toe vermoeid had uitgezien, klaarde even op, alsof de zon doorbrak op een troosteloze dag. Lindels gezicht daarentegen zag eruit alsof het zou gaan onweren.

'Colin,' vervolgde Marie-Julie, 'was een Amerikaanse

student die stage liep in Frankrijk. Ik ontmoette hem toen ik nog als au pair werkte bij een Franse familie. Ik heette toen nog Van Bommel. Colin en ik waren allebei drieëntwintig. Hij was ... charmant en hij sprak Frans, wat redelijk uniek is voor een Amerikaan.' Ze giechelde een beetje. Ik zag de mond van mijn moeder vertrekken. Ik had met haar te doen, maar vroeg toch verder. Ik heb mijn halve leven verhalen verzonnen over mijn vader, omdat mijn moeder slechts sporadisch over hem wilde vertellen. Nu zag ik eindelijk een mogelijkheid meer over hem te weten te komen, en die ging ik gebruiken ook.

Lindel staarde nog steeds ongeïnteresseerd voor zich uit, maar ik zag aan zijn houding dat hij heimelijk mee zat te luisteren.

'Waar heb je hem precies ontmoet?' vroeg ik.

'In een winkel op de Boulevard Saint-Michel,' antwoordde Marie-Julie. 'Hij liep langs de etalage en zag mij een avondjurk passen. Door de winkelruit gebaarde hij hoe prachtig ik eruitzag. Later stond hij me buiten op te wachten en vroeg of ik wat wilde drinken. Ik weet het, het klinkt als iets uit een damesromannetje, maar het was eigenlijk heel romantisch. We trokken een jaar met elkaar op en toen bleek ik in verwachting te zijn van Lindel.' Ze keek eventjes met een blik vol genegenheid naar Lindel, wat voor hem aanleiding was om gauw weer naar de grond te kijken.

'Colin vroeg mij ten huwelijk, heel sprookjesachtig op de Eiffeltoren,' vervolgde Marie-Julie. 'Hij woonde in een bescheiden appartement in de buurt van Rue Madame, in Saint-Germain, een wijk van Parijs. Het was nauwelijks groot genoeg voor ons drieën; Lindels ledikantje werd voortdurend verplaatst van de slaapkamer naar de woonkamer en weer terug. Maar ik was eerlijk gezegd opgelucht dat ik een excuus gevonden had om bij mijn au-pairfamilie weg te gaan ...'

Ik zag dat Marie-Julie nog wat wilde zeggen, maar haar gedachten bleven onuitgesproken. Even dacht ik dat ze het hierbij zou laten, want ze bleef een paar minuten zwijgend voor zich uit staren. Ze zag er ineens heel terneergeslagen uit.

Ik verwachtte dat mijn moeder het gesprek zou overnemen (dat doet ze tenslotte altijd als het stil wordt), maar ook zij bleef in gedachten verzonken. Kennelijk maakten onze moeders hun eigen reis door het verleden. Ik had geen medelijden: zij hadden tenminste een verleden met mijn vader; ik bezat niet eens een foto.

Onverwachts vertelde Marie-Julie weer verder. 'Toen Lindel anderhalf was, wist ik al dat Colin en ik het niet zouden redden samen. Hij bleef steeds langer op het kantoor waar hij inmiddels als programmeur werkte. Volgens zijn werkgever, meneer Little, was Colin briljant en de redding van het bedrijf, maar het kostte mij mijn huwelijk. Vaak kwam hij pas na middernacht thuis, met van die glazige ogen die je krijgt als je urenlang naar een beeldscherm hebt zitten staren. Toen hij naar Nederland vertrok om daar een dochtermaatschappij op te zetten, voelde ik voornamelijk opluchting.'

Ik maakte even een snel rekensommetje. Lindel was bijna drie jaar ouder dan ik: mijn vader had er geen gras over laten groeien toen hij naar Nederland verhuisde.

'Hij was net een paar weken in Utrecht toen wij elkaar ontmoetten op een feestje van een vriendin,' vulde mijn moeder aan. 'Ik had geen idee dat hij al een vrouw en een kind had. Dat kwam niet eens in mij op; hij was nog zo jong ... Als ik geweten had ...'

(Dan was ik er niet geweest. Dankjewel, mam.)

'Wilde u – sorry – je zelf niet terug naar Nederland?' vroeg ik.

Marie-Julie schudde haar hoofd. 'Ik had inmiddels een goede baan, die ik niet wilde opgeven. En ik houd van Parijs. Het is geen stad die je makkelijk laat gaan.'

Er klonk een zacht kuchje en er verschenen twee zwartleren schoenen in mijn blikveld. Ik keek omhoog en zag een ouderwets geklede man ons toeknikken.

'Mag ik u verzoeken mee te komen, alstublieft?' Er was geen spoortje van een Amerikaans accent te bespeuren, dus ik vermoedde dat dit niet meneer Hughes van het telefoongesprek was, maar zijn compagnon, meneer Janssen. We stonden alle vier op.

'Alleen mejuffrouw Roza Poorterman en de jongeheer Lindel DeVries, alstublieft,' zei de man. 'Meneer DeVries heeft ons uitdrukkelijk verzocht zijn uiterste wil uitsluitend aan zijn twee kinderen voor te lezen.'

Ik zag dat mijn moeder op het punt stond een woedeuitbarsting te krijgen. 'Maar zij zijn minderjarig!' riep ze. 'U hebt geen enkel recht ...'

'Geen enkel,' beaamde de notaris. 'Ik heb alleen het uitdrukkelijke verzoek van meneer DeVries ...'

'Mama ...!' zei ik smekend en ik vroeg mij (niet voor de eerste keer) af wie van ons tweeën nu eigenlijk de volwassene was. Als dat zijn wens was, wat maakte dat dan uit? Ik zou haar het testament toch wel laten lezen. Wij hebben nooit geheimen voor elkaar.

Ze haalde diep adem en ging weer zitten. Marie-Julie wisselde van stoel en nam naast haar plaats, terwijl Lindel en ik de notaris naar zijn kantoor volgden.

Een wirwar aan gedachten schoot door mijn hoofd. Waarom wilde mijn vader niet dat onze moeders bij het voorlezen van het testament waren? Had hij wat te verbergen of was er meer aan de hand? Had ik mijn moeder toch bij het voorlezen moeten toelaten? Of had ik met Lindel moeten overleggen, voordat ik een besluit nam? Hij had ook best uit zichzelf zijn mond open kunnen doen, natuurlijk. Kon ik überhaupt iets van die knul verwachten, of bleef hij de rest van de dag stommetje spelen?

Roza sub rosa

De ruimte waarin wij terechtkwamen, voldeed beter aan mijn verwachtingen dan de rest van het kantoor had gedaan. De muren waren dieprood en het plafond was beschilderd met bladeren, vogels en een enorme vijfbladerige roos. Mijn aandacht werd getrokken door een tekst die in een cirkel rondom de roos geschreven stond. Ik draaide mijn hoofd met de woorden mee en las: *Anno 1635. Al wat onder deeze roos zal woorden gesprooken dat moeter nader fijn beloocken.* De rozenblaadjes waren in verschillende kleuren geschilderd: koningsblauw, citroengeel en grasgroen.

'Wauw,' zei ik, terwijl ik naar het plafond wees. 'Wat schitterend! Betekent het nog iets?'

De notaris gebaarde ons aan een grote tafel te gaan zitten die direct onder de roos was gepositioneerd. 'Dit plafond,' antwoordde hij, 'is de reden waarom we in deze specifieke kamer zitten. Bent u bekend met de term sub rosa?'

'Dat is toch Latijn?' vroeg Lindel. 'Rosa is roos, sub is onder. Sub rosa: onder de roos?' De notaris knikte en ik keek Lindel verbluft aan. Het ene moment gedroeg hij zich als een lomperik zonder fatsoen en even later bleek hij ineens Latijn te begrijpen. Ik moest denken aan een uitdrukking van mijn moeder over mijn vader (op een van de weinige momenten dat hij ter sprake was gekomen). Volgens haar was Colin een raadsel verpakt in een mysterie verborgen in een enigma. Zo te zien aardde Lindel aardig naar zijn vader.

'U bevindt zich in de voormalige bestuurskamer van het makelaarsgildehuis van Amsterdam,' zei de notaris plechtig, terwijl hij op zijn beurt plaatsnam aan de tafel. 'In deze kamer is in de zeventiende eeuw deze roos op het plafond aangebracht als "symbool van vertrouwelijkheid en gepaste zwijgzaamheid", zoals men dat in die tijd noemde. Met andere woorden: alles wat aan deze tafel, onder dit plafond besproken werd, was strikt geheim, alleen bedoeld voor degenen die hierbij aanwezig waren. *Dat moeter nader fijn beloocken* betekent letterlijk: "dat moet nader zijn gesloten", oftewel "dat moet achter gesloten deuren blijven".'

'Dus,' zei ik verbouwereerd, 'ik mag mijn moeder straks echt niet vertellen wat er in het testament staat?'

'Uiteraard is het eenieder tegenwoordig vrij na het verlaten van deze locatie te praten over hetgeen hier voorgelezen is, maar mijn partner en ik vonden het een toepasselijke kamer voor onze notariële activiteiten.'

Dat was een lange, ingewikkelde manier om te zeggen: 'Jawel hoor, ga je gang.'

'Jullie vader heeft de uitdrukkelijke wens uitgesproken het voorlezen van zijn uiterste wil in deze kamer te laten geschieden,' vervolgde de notaris. Hij haalde een stapel papieren uit een map die bij binnenkomst al voor hem klaar lag op de tafel.

'Voordat ik begin met het voorlezen van de uiterste wil, zoals een testament tegenwoordig genoemd wordt, wil ik u iets van de voorgeschiedenis vertellen.' Hij legde de papieren terug op tafel en zette zijn bril weer af.

'Meneer DeVries, uw vader, benaderde ons ruim een jaar geleden met een ongewoon verzoek. Enige weken eerder was bij meneer DeVries amyotrofe laterale sclerose geconstateerd, kortweg ALS. Amyotrofe laterale sclerose is een aandoening waarbij de zenuwcellen die de spieren aansturen, worden aangetast. Daardoor vallen er steeds meer spierfuncties in het lichaam uit. Toen ik meneer DeVries voor het eerst sprak, was hij nog betrekkelijk gezond. Maar de prognose van de Franse artsen was weinig hoopvol te noemen; uw vader had nog hooguit een jaar of drie te leven.'

Lindel en ik keken geschokt naar de notaris.

'Wat?' zei ik. 'Hoe ... Waarom horen wij dit nu pas? Was hij ...?'

'Is het erfelijk?' onderbrak Lindel mij.

Ik stopte meteen met praten. O shit, daar had ik nog niet eens aan gedacht! Wat nou als ik ...

De notaris schudde zijn hoofd. 'U moet begrijpen dat ik geen dokter ben, maar wat ik van de heer DeVries begrepen heb, is dat ALS een uiterst zeldzame ziekte is. In Nederland zijn er tussen de 750 en de 1200 mensen die eraan lijden. Dat is minder dan één honderdste procent van de Nederlandse bevolking. Slechts in vijf tot tien procent van de gevallen wordt de ziekte erfelijk doorgegeven aan de kinderen. Bij die kinderen bestaat minder dan vijftig procent kans dat zij de ziekte zelf krijgen. Op dit moment wordt er veel onderzoek gedaan naar de aandoening, alhoewel uw vader van mening was dat er veel meer moet gebeuren.'

Ik zakte achterover in mijn super-de-luxe stoel. Ik wist niet of ik die percentages wel zo geruststellend vond. Vijftig procent van tien procent was nog steeds vijf procent volgens mij ... toch?

Ik dwong mijzelf verder te luisteren. De notaris vertelde ons dat ALS zich meestal pas manifesteert na het vijfenveertigste levensjaar. Als we het zouden krijgen ... ALS.

'Ik begrijp dat dit als een grote schok aankomt ...' zei de notaris. 'Het was ook helemaal niet de bedoeling dat ík u dit ging vertellen. Meneer DeVries had vorig jaar toen ik hem sprak nog minimaal twee jaar te leven en wilde het contact met u beiden voorzichtig opbouwen. De brieven die hij u stuurde ...'

'Brieven?' vroeg ik verbaasd. 'Welke brieven?' Ik keek even naar Lindel. 'Weet jij iets van brieven?'

Lindel schudde zijn hoofd. 'Nee, ik heb nooit iets van hem gehoord. Ik dacht dat hij mij gewoon niet wilde leren kennen.'

'Uw vader wilde contact met u opnemen, u langzaam voorbereiden op zijn naderende dood en de – overigens zeer kleine kans – dat een van u erfelijk belast zou zijn met het ALS-gen. Ik weet niet wat er met eerdergenoemde brieven gebeurd is. Misschien heeft meneer DeVries ze nooit verstuurd; daar durf ik geen uitspraken over te doen. Desalniettemin ...'

'Sorry dat ik u onderbreek,' zei ik, 'maar ik weet niet eens hoe mijn vader precies is overleden.'

'Excuus, mejuffrouw Poorterman. Meneer DeVries is overleden aan de gevolgen van een acute hartaanval tijdens een bezoek aan de Cinéma Georges V in Parijs. Hij werd gevonden door het bioscooppersoneel dat direct een ambulance heeft gebeld. Helaas kwam de hulp te laat voor uw vader.

Twee dagen eerder ontving ik een envelop die voor u beiden bedoeld was. Het lijkt er haast op alsof meneer DeVries zijn dood heeft zien aankomen, want op de envelop stond de mededeling dat deze pas na zijn overlijden opengemaakt mocht worden.'

Er viel een ongemakkelijke stilte, die Lindel op geheel eigen botte wijze doorbrak: 'En in die envelop zit de erfenis?' vroeg hij. 'Heeft mijn vader ons nog iets anders nagelaten dan een vreselijke ziekte?'

Als ik niet zo van streek was geweest, had ik hem een elleboogstoot gegeven. Eikel. De notaris ging onverstoorbaar verder. 'Uw vader had weinig geld en bezittingen. Zijn belangrijkste eigendommen bestonden uit een paar duizend euro op een bankrekening – geld dat gebruikt wordt om de begrafenis van te betalen – een computer, een kast met boeken en een koffer met daarin alle James Bondfilms. Jullie vader was een groot liefheb-ber van spionagefilms, naar ik begreep,' zei hij met een glimlach.

Ik schoot vol. Er kwam een onwerkelijk gevoel over mij, alsof ik dit allemaal droomde. Is dat wat ik vandaag over mijn vader te weten zou komen? Dat hij ziek was (en ik misschien ook) en dat hij van James Bondfilms hield? Hoe *fucked up* is dat?

Ik veegde mijn tranen weg. De notaris pakte de papie-ren weer en vervolgde zijn verhaal. 'Zoals ik al zei: aan fysieke eigendommen bezat de heer DeVries niet veel. Maar uw vader had wel virtueel eigendom: een software-programma dat, in zijn eigen woorden, miljoenen euro's waard is.'

'Miljoenen euro's? Wij hebben miljoenen euro's ge-erfd? Van mijn vader? Hihihi.' Ik begon er zowaar van te giechelen, hoewel ik eigenlijk nog helemaal niets grap-pigs had gehoord.

'Het ligt iets genuanceerder,' antwoordde hij. 'Uw vader schreef een computerprogramma dat nog niet op de markt is. Het was bijna af en hij wilde het aan de hoogste bieder verkopen. Volgens uw vader – ik kan het waarheidsgehalte van zijn beweringen uiteraard niet sta-ven – zou de software meerdere miljoenen dollars waard zijn.'

Ik keek opzij naar Lindel, die voor het eerst iets van emotie liet zien. Hij had een kleur gekregen en zijn han-den om het tafelblad geklemd.

'Hebt u dat computerprogramma hier?' vroeg Lindel. Hij kneep zijn ogen samen en keek de notaris indringend aan. Hij deed me een beetje aan een roofdier denken. Is dit wat ze bedoelen als ze zeggen dat sommige mensen wild worden als ze geld ruiken?

'Is geld het enige wat je belangrijk vindt?!' katte ik.

Lindel keek me onthutst aan, terwijl ik gauw mijn mond dichtsloeg. Ik was zelf geschrokken van mijn uitval. De notaris bleef onverstoord verder vertellen. Misschien was hij dit soort emotionele reacties wel gewend tijdens het voorlezen van een testament.

'Meneer DeVries heeft het afgelopen jaar iets bijzonders gedaan. Hij heeft een serie internetpuzzels geprogrammeerd en ontworpen die allemaal met elkaar verbonden zijn. Het is, zoals hij dat formuleerde, zijn nalatenschap aan u. Meneer DeVries wilde graag dat u bewijst genoeg intelligentie en doorzettingsvermogen te bezitten om aanspraak te kunnen maken op zijn fortuin. Een gedeelte van de erfenis is voor u beiden bedoeld, mits u in staat bent om de internetpuzzels op te lossen. De rest van de opbrengst wordt gebruikt om verder onderzoek naar ALS te ondersteunen. Het bedrag dat u beiden toekomt, zal zo rond de één miljoen euro per persoon liggen, afhankelijk van de uiteindelijke opbrengst van het programma.'

Ik was hier gekomen om meer over mijn vader te weten te komen en was zwaar geschokt toen ik hoorde dat hij ernstig ziek was geweest. Ik had er nauwelijks op gerekend dat ik echt iets zou erven, laat staan een miljoen euro.

'Is dit serieus?' vroeg ik.

'Heel serieus, jongedame,' zei de notaris. 'Uw vader is een jaar bezig geweest met het opzetten van de websites en het opstellen van zijn uiterste wil. Colin leek mij geen grappenmaker.'

Het was de eerste keer dat ik hem mijn vader bij zijn voornaam hoorde noemen.

'En nu?' vroeg ik. 'Wat gebeurt er nu?'

De notaris keek ons indringend aan en zei: 'Als het u beiden lukt de internetpuzzels binnen drie dagen op te lossen, krijgt u verdere instructies over waar het computerprogramma zich bevindt. U kunt de software daarna naar mij sturen of brengen. Er is een koper die wacht op mijn telefoontje dat het programma beschikbaar is. Tien dagen later zullen de afgesproken bedragen gestort worden op de juiste bankrekeningen.'

De notaris keek ons aan en zette zijn bril weer op.

'En als we de internetpuzzels niet binnen drie dagen oplossen?' vroeg Lindel.

'Dan zal het programma zichzelf vernietigen,' antwoordde de notaris, 'aldus uw vader.'

Een kwartier later stonden we aangeslagen in de hal. Lindel had de envelop van de notaris in ontvangst genomen en hield die vastgeklemd in zijn rechterhand. Het was een smal langwerpig ding met een tekening van een vijfbladige roos erop. De flap was verzegeld met een druppel rode lak waarin het motief van (uiteraard) een roos was gedrukt. De notaris was ons voorgegaan en had ons teruggebracht naar onze moeders. Ik vroeg Lindel of het goed met hem ging en kreeg weer alleen schouderophalen als reactie.

'Sorry,' zei hij. 'Het is allemaal een beetje veel voor me. Ik weet niet waar ik moet beginnen met denken.' Er schoten tranen in zijn ogen.

Ik legde een hand op zijn schouder. 'Als het een troost is: ik ook niet ... Ik weet niet eens hoe ik dit aan mijn moeder moet vertellen. Vooral niet over ...'

Lindel zag eruit alsof hij elk moment in huilen kon uitbarsten. 'Ik ga nog even naar het toilet; ik kom zo,' zei hij. 'En Roza, misschien moet je nog even helemaal niets zeggen. Vertel in ieder geval niets tegen mijn moeder. Ik ben bang dat ze ter plekke doodvalt als ze dit hoort.'

Ik knikte ter bevestiging en keek hem na, terwijl hij schuin de hal overstak. Zelf liep ik vast naar mijn moeder en Marie-Julie toe, die meteen opstonden.

'En? Was het nog wat? Heeft die vent jullie nog wat fatsoenlijks nagelaten?' snauwde mijn moeder.

Ik beet op mijn onderlip en telde demonstratief tot tien.

'Straks, mam. Lindel is even naar het toilet. Misschien kunnen we samen ergens wat gaan drinken?'

We trokken onze jassen aan, ik mijn lichtblauwe skijack, mijn moeder haar lange donkerblauwe mantel en

Marie-Julie een winterjas van lichtroze kasjmier. Toen ze haar jas had dichtgeknoopt pakte Marie-Julie het leren jack van Lindel van de kapstok.

'Waar blijft Lindel? Is het wel goed met hem?' vroeg ze.

'Lindel was een beetje van slag,' zei ik verontschuldigend. 'Hij zal er zo wel aankomen.'

Even later kwam Lindel inderdaad de hal inlopen. Hij zag nog steeds spierwit en leek helemaal in paniek. Hij gebaarde met zijn hand dat zijn moeder naar hem toe moest komen. Stiekem checkte ik de envelop in zijn andere hand, of het zegel nog ongeschonden was. *Trust, but verify.* Voor zover ik van een afstandje kon zien, was het zegel op de envelop niet verbroken.

'*Maman?*'

'Lindel? *Qu'est-ce que il-y-a?!*'

Hij nam Marie-Julie apart en fluisterde iets in haar oor. Ik kon horen dat hij Frans sprak en verstond er dus geen woord van. Enkele ogenblikken later kwamen ze allebei naar ons toe.

'Lindel kreeg net een telefoontje uit Parijs,' zei Marie-Julie gejaagd. 'Er schijnt iets met zijn broertje, Pascal, te zijn. Niets ernstigs, begreep ik, maar ik moet onmiddellijk naar huis.'

'Wat is er aan de hand?' Ik keek Lindel bezorgd aan.

'De juffrouw van de *école primaire* belde dat hij hoge koorts heeft,' antwoordde Lindel. 'Hij is pas vijf; hij was helemaal overstuur dat er niemand thuis zou zijn. Het was de bedoeling dat de buurvrouw hem zou opvangen, maar die is nog op haar werk.'

'Zijn vader, is die er niet?' vroeg mijn moeder wantrouwend aan Marie-Julie. 'U bent toch pas op z'n vroegst aan het begin van de avond in Parijs, dus wat heeft dat jongetje daaraan?'

'Ik eh ...' stamelde Marie-Julie.

'Mijn moeder en mijn ... Pascals vader zijn gescheiden,' zei Lindel kortaf. 'Hij hield het niet langer uit bij mijn moeder ...'

Ik zag Marie-Julie wit wegtrekken en prompt verdween het beetje sympathie dat ik voor Lindel had gekregen weer als sneeuw voor de zon.

'Kan Lindel misschien bij u blijven logeren, mevrouw Poorterman?' smeekte Marie-Julie. 'Ik moet de Thalys halen en Lindel wil graag wat tijd doorbrengen met zijn nieuwe zus.'

Ja, vast, dacht ik. Het enthousiasme straalt van hem af.

'Natuurlijk,' zei mijn moeder. 'Natuurlijk is hij van harte welkom. En noem me alsjeblieft Margriet; jij ook Lindel. Als we toch familie zijn ...'

We namen afscheid van Marie-Julie, die buiten direct een taxi wenkte. Er stond een stormachtige wind en we hadden moeite ons staande te houden. Voordat Lindels moeder in de auto stapte, voerde ze nog een hele discussie met Lindel, die een eeuwigheid leek te duren. Lindel reageerde boos en schudde wild met zijn hoofd. Hij drukte iets in haar hand. Ik kon helaas niet zien wat het was. Daarna stapte ze eindelijk in en reed weg.

'Het is toch volstrekt belachelijk dat niemand in Parijs het jongetje kan opvangen, terwijl ze toch wisten dat zij een paar dagen in Nederland zouden zijn!' zei mijn moeder geïrriteerd. 'Je laat zo'n kleuter van vijf toch niet achter zonder fatsoenlijke opvang te hebben geregeld? En waarom bellen ze Lindel en niet zijn moeder?'

Ik haalde mijn schouders op. 'Misschien heeft haar mobiele telefoon hier geen ontvangst?' opperde ik.

'Dan nog,' raasde mijn moeder verder, 'waarom kan Pascals vader hem niet gewoon ophalen? Het jongetje hééft toch gewoon een vader, ook al zijn z'n ouders gescheiden?'

Ik moest op mijn tong bijten om niet uit te roepen: 'O ja, zoals ik eigenlijk "gewoon" een vader had, mama?' toen er een vrouw in een lange witte bontmantel kwam aanlopen. Ze had een stadsplattegrond in haar handen en kwam me vagelijk bekend voor, maar ik kon haar niet direct plaatsen. De vrouw liep rechtstreeks op Lindel af, vermoedelijk om de weg te vragen, maar ik versperde haar de weg. Lindel had even genoeg aan zijn hoofd en aan Lindel had ze toch niets; hij was immers een vreemdeling in Amsterdam.

'Kan ik u misschien ergens mee helpen?' vroeg ik haar. De vrouw begon een heel verhaal in het Frans af te steken, waar ik uiteraard geen woord van verstond. Even twijfelde ik of ik Lindel er toch niet bij moest roepen, maar gelukkig greep mijn moeder in. In haar beste Frans (geloof me, dat is niet veel beter dan het mijne) wees ze de vrouw de route naar Madame Tussauds. Ondertussen liep ik naar Lindel toe, die terneergeslagen naar een fietsenwrak in de Amsterdamse gracht staarde.

'Het komt vast allemaal in orde. Kinderen op die leeftijd hebben altijd koorts, niks om je zorgen over te maken,' zei ik geruststellend.

Lindel keek verontwaardigd op van zijn fietswrak en schudde mijn hand van zijn schouder. 'Jij begrijpt echt helemaal nergens iets van, hè?'

Littekens

Terwijl mijn moeder enkele meters voor ons liep, op zoek naar een plekje waar we rustig konden zitten, hield Lindel een pleidooi waarom hij per se de inhoud van het testament voor zich wilde houden. Nu was het mijn beurt om verontwaardigd te reageren: 'Hoezo hebben ze niets met Colin te maken, Lindel? Jouw moeder was nota bene met hem getrouwd!'

'Het testament is alleen voor ons tweeën bedoeld, Roza, dat heeft Colin er expliciet bij vermeld! Wat denk je dat er met die brieven gebeurd is, die hij heeft verstuurd? Nou?'

Daar wist ik niet meteen wat op terug te zeggen. Ik kon mij helaas voorstellen dat mijn moeder ze voor mij achtergehouden had onder haar bekende, uitgekauwde motto: 'Het is voor je eigen bestwil.'

'En over de ziekte?' vroeg ik snel. 'Ik moet mijn moeder toch vertellen ...'

'... dat we misschien eventueel ziek worden als we vijfenveertig zijn? Waarom? Dat duurt nog ...' Op dat moment ging zijn mobiele telefoon weer. Misschien was het zijn moeder om te vertellen dat ze de trein gehaald had (of juist niet, dat zou pas vervelend zijn). Lindel nam op en vertraagde zijn pas totdat hij buiten gehoorafstand van zowel mij als mijn moeder was. Hij had zichzelf de moeite kunnen besparen; ik verstond toch geen woord van zijn Franse geratel. Ondertussen bedacht ik hoe weinig kans we maakten iets voor mijn moeder geheim te houden.

'Zo,' zei mijn moeder, toen Lindel opgehangen had en we eindelijk een gezellig, druk Amsterdams café binnenliepen: 'Nu wil ik precies weten wat die notaris allemaal met jullie besproken heeft.'

We gingen aan een tafeltje zitten en bestelden iets te drinken. Lindel stamelde ondertussen iets over *sub rosa* en dat het testament ons alleen aanging, maar het klonk al een stuk minder overtuigend dan daarnet.

'Roza?' vroeg mijn moeder gedecideerd. 'Wat stond er precies in je vaders testament?'

Bedremmeld staarde ik naar de bubbels in het glas cola light, dat voor mijn neus werd neergezet, en ik probeerde wanhopig te bedenken hoe ik mij hieruit moest redden.

'Laat me raden,' zei mijn moeder. 'Het gaat niet om geld, want Colin was zo arm als een kerkrat. Het is zeker iets wat jullie moeten doen in opdracht van hem. Iets wat geld oplevert als je het op de juiste manier uitvoert?'

Ik staarde haar perplex aan en stamelde: 'Hoe ... wat weet jij ...?'

'Roza ...' Ze zuchtte en ik zag haar voor het eerst die ochtend weer glimlachen. 'Colin is ... was ... iemand met veel ... enthousiasme. Als hij iets bedacht had, dan geloofde hij daar heilig in, echt waar! Maar in de praktijk kwam er van zijn plannen altijd maar weinig terecht.'

De serveerster was inmiddels naar de andere kant van het tafeltje gelopen en zette een dubbele espresso voor mijn moeder neer en cola voor Lindel. Mijn moeder wachtte tot de serveerster weer naar de bar was gelopen en ging verder: 'Jullie vader was een fantast, sorry dat ik het moet zeggen. Altijd bezig met plannetjes om uiteindelijk rijk te worden. Een jaar of wat geleden is hij een eigen bedrijfje begonnen, internet uiteraard, dat hem stinkend rijk zou maken. Binnen twee jaar barstte de internetbubbel en was hij failliet. Als zijn voormalige werkgever niet was bijgesprongen, zou hij nu nog met enorme schulden zitten. Wat ik wil zeggen, is: vertrouw er niet te veel op dat aan het eind van de regenboog echt een pot met goud staat.'

Sprakeloos staarde ik naar mijn moeder. Mijn gedachten raasden door mij heen en ik dwong mijzelf te kalmeren, zoals zij me geleerd had. Ik ademde diep in, bande de cafégeluiden naar de achtergrond en vroeg zo nonchalant mogelijk hoelang geleden dat was, van dat bedrijfje van papa.

'Ongeveer een jaar of vier, hoezo?'

'Omdat je mij altijd verteld hebt dat je geen enkel contact meer had met hem. Hoe wist je dan dat hij failliet was gegaan? En hoe wist Colin dat ik bestond, zodat hij mij iets kon nalaten?'

Ik zag hoe mijn moeder verstijfde en wist dat ik goed

gegokt had, omdat ze woedend werd: 'Omdat ik hem een keertje heb gegoogeld, oké, Roza? Het heeft destijds overal op internet gestaan. Je moet alleen weten waar je moet kijken. Ik kan niet van jou verwachten dat je die moeite neemt, maar beschuldig mij niet meteen van leugens.'

Ik bleef kalm en keek mijn moeder rustig aan, maar inwendig kookte ik van woede. Ik wilde haar dolgraag geloven, maar wist vrijwel zeker dat ze loog.

'O, en op internet stond ook dat zijn voormalige baas hem heeft geholpen met zijn financiën? Op welke website? *www.everythingyoualwayswantedtoknowaboutcolinbutwereafraidtoask.com?*'

De serveerster kwam langs met de rekening, waarop mijn moeder meteen haar portemonnee pakte. Ik wachtte geduldig tot ze betaald had, voordat ik met de genadeslag kwam.

'Mama,' zei ik, toen we weer alleen waren, 'stond er op internet ook dat je brieven van papa moest achterhouden?'

Mijn moeder wilde net een slokje espresso nemen en verstijfde halverwege. Bingo!

'Wat? Hoe weet ...?' stamelde ze.

Lindel begon gauw aan de envelop te friemelen en verbrak het zegel. Ik zag de roos in de rode lak in tweeën scheuren. Het voelde alsof tegelijkertijd het vertrouwen in mijn moeder werd verbroken. Als ze had gelogen over de brieven, dan was de rest vast ook niet waar.

Lindel toverde een ansichtkaart uit de envelop alsof het een konijntje uit een hoge hoed was. Op de voorkant van de ansichtkaart stond in grote letters *www.subroza.nl* geschreven. Ik wilde net vragen of er ook wat achterop stond, toen ik achter Lindel de cafédeur zag opengaan en de vrouw met de witte bontmantel zag binnenkomen.

'Iemand de route wijzen naar Madame Tussauds kun je ook al niet!' bitste ik tegen mijn moeder. Tot mijn stomme verbazing kwam de vrouw regelrecht naar ons cafétafeltje gelopen en ging op de enige overgebleven stoel zitten. Boven haar oog zat een flinke wond die kennelijk kortgeleden gehecht was. Dat zou een lelijk litteken worden.

'*Bonjour, monsieur DeVries, mademoiselle Poorterman,*' zei de vrouw tegen ons. 'Ik kwam het testament ophalen.'

Ik had moeite haar te verstaan; haar Engels kwam nauwelijks door haar Franse accent heen.

Ze wees demonstratief naar de ansichtkaart in Lindels hand en daarna op de envelop die geopend op tafel lag. Verbijsterd keek ik naar haar vingers, die versierd waren met de meest bizarre ringen die ik ooit gezien had.

'Je hoeft niet zo verbouwereerd te kijken, hoor,' zei ze sarcastisch. 'Geloof me of niet, maar die spullen zijn eigenlijk van mij, of in ieder geval van mijn opdrachtgever.'

Lindel schudde nauwelijks zichtbaar zijn hoofd. '*Non,*

it's ours. Ze waren eigendom van mijn vader.'

'*Not really,*' antwoordde de vrouw, en ze trok de ansichtkaart uit zijn handen. Met een snelheid die ons allemaal verbaasde, sprong Lindel overeind. Zijn stoel viel achterover tegen een van de Amsterdamse stamgasten aan.

'Hé, ken je niet uitkijken?' snauwde de man, en hij stond verontwaardigd op. De vrouw met de bontmantel keek verstoord opzij, waarop Lindel de kaart probeerde terug te pakken. Ze deinsde achteruit, waarbij haar mantel openviel. In haar broekriem stak een klein pistool, zoals ik ze eerder alleen in films had gezien. De vrouw sloeg haar mantel terug, maar helaas voor haar had de boze Amsterdammer het ding ook gezien.

'Heb je daar nou een revolver, wijfie? Hebbie daar een vergunning voor? Een Nederlandse vergunning ...?'

De vrouw begon hem in het Frans uit te schelden, wat een slecht idee is in een Amsterdams café. De man greep haar direct bij de pols en schreeuwde naar de barvrouw dat zij de politie moest bellen.

'Kom mee,' zei mijn moeder, terwijl ze aanstalten maakte om te vertrekken.

'Niks ervan,' zei de man. 'Iedereen blijft zitten. Ik wil precies weten wat er aan de hand is, voordat iemand de deur uitgaat!'

De vrouw in de witte bontmantel rukte zich uit zijn greep los en met een welgemikte beweging sloeg ze met haar linkerhand tegen zijn adamsappel. De man hapte meteen naar adem en sloeg met stoel en al tegen de grond. Zijn vrouw, die de strijd met verbazing had zitten bekijken, begon te gillen: 'Henk? Henk!'

De Franse vrouw greep naar de envelop op tafel, stormde langs de man die op de grond lag, en voordat iemand het besefte, was ze verdwenen. Twee cafégasten die vlak bij de deur zaten, renden achter haar aan. Mijn moeder knielde bij de gevelde man en maakte zijn overhemdboord los. Hij droeg een ouderwets shirt waaronder een goudkleurige ketting zichtbaar was. 'Wat-wat-wat ...' rochelde de man.

De barvrouw schreeuwde dat ze de politie had gebeld.

'Kom mee,' fluisterde mijn moeder. Ze pakte mijn pols en trok me overeind. Ik greep snel mijn jas van mijn stoel en volgde haar met Lindel in mijn kielzog. Niemand hield ons tegen. De twee achtervolgers kwamen het café weer binnen en zeiden tegen de barvrouw dat ze in een tram verdwenen was. We waagden het erop en liepen naar buiten. Onze aanvalster was vertrokken, samen met onze envelop en ansichtkaart.

Bericht van mijn vader

Na het voorval in het café vertrokken we meteen met een taxi uit Amsterdam. Mijn moeder wilde geen enkel risico nemen en sommeerde de chauffeur ons linea recta naar Hilversum te brengen, ongeacht de kosten.

In de auto zwegen we; we hadden allemaal te veel om over na te denken. Af en toe keken we achterom, maar niemand leek ons te achtervolgen. Waarom ook? Die vrouw had precies wat ze wilde hebben; wij waren met lege handen achtergebleven.

Na enkele minuten begon ik te trillen en te huilen. Lindel zat voorin (ook al was hij de kleinste) naast de taxichauffeur, mijn moeder zat achterin naast mij. Ze trok me dicht tegen zich aan, zoals ze niet meer had gedaan sinds ik een klein meisje was (mijn moeder is niet zo lichamelijk) en liet me uitsnikken. Toen ik aanstalten maakte om wat te zeggen, hield ze een vinger tegen haar lippen en wees op de taxichauffeur. Ik knikte en droogde mijn tranen. Ik had in maanden niet zoveel gehuild. Ik weet niet eens precies waarom ik huilde: om de overval, om mijn vader die eenzaam in een bioscoop gestorven was, of uit medelijden met mijzelf.

Lindel zat stoïcijns voor zich uit te staren, maar ik begon inmiddels te vermoeden dat het een houding was. Af en toe kruisten onze blikken elkaar in de achteruit-

59

kijkspiegel en dan draaide hij zijn hoofd gauw de andere kant op. Ik vroeg me af of mijn vader ook zo'n stil water was geweest.

Eenmaal thuis begonnen mijn moeder en ik tegelijkertijd door elkaar heen te praten. We besloten de politie er voorlopig buiten te laten. Wat moesten we ook zeggen? Dat iemand ons met een pistool had bedreigd (wat technisch gezien niet zo was) en onze ansichtkaart had gestolen? Dat klonk nauwelijks als een misdaad. Lindel en ik zouden gaan proberen de onlinepuzzels op te lossen. We wisten gelukkig waar we moesten beginnen.

Samen liepen we naar mijn kamer, waar ik mijn computer aanzette. Ik opende Internet Explorer en typte *www.subroza.nl* in.

'Maar goed dat je de envelop al had opengemaakt,' zei ik. 'Anders hadden we het webadres niet geweten. Nou maar hopen dat er niet nog meer aanwijzingen in de envelop zaten.'

Lindel zweeg en bestudeerde het scherm. De subroza-site bestond uit een geel-oranje achtergrond, met daarop een paar oude boeken en een blocnote. In het midden was een filmpje te zien met een *play*-driehoek erin geplakt, zoals je die normaal op *YouTube* ziet. Er stond een man in beeld, gekleed in een zwarte smoking met een vlinderdasje. Zijn hand had hij als een pistool over zijn borst geplaatst, zodat hij op een geheim agent leek. Het geheel zag er tamelijk potsierlijk uit.

'Nou, daar is hij dan,' zei ik met een brok in mijn keel.

Lindel beet op zijn lip en knikte. Zo te zien had hij het ook moeilijk.

Ik bewoog de cursor naar het filmpje en klikte op het driehoekje. Het filmpje begon meteen te spelen.

'*Hi, my name is DeVries, Colin DeVries.*' En hij mikte met zijn vinger op ons en zei: 'Pang!' Daarna schoot hij in de lach.

'Sorry voor het theater, maar ik kon het niet laten; dit heb ik altijd al een keer willen doen.' Hij grijnsde. Zijn Nederlands werd uitgesproken met een Amerikaanse tongval, alsof hij hier geboren was en naar de Verenigde Staten was verhuisd, in plaats van andersom.

'Ik neem aan dat Margriet en Marie-Julie jullie niet veel goeds over mij verteld hebben, en ik kan ze geen ongelijk geven. Mijn hele leven heb ik het ene briljante idee na het andere nagejaagd, zonder dat ik iets afmaakte. Maar nu ... nu wist ik dat dit mijn laatste kans was, en die heb ik aangegrepen.'

Hij liep naar voren en ging op een stoel zitten, waardoor zijn gezicht het hele scherm vulde. Hij probeerde te verbergen dat hij met zijn been trok, maar ik zag dat hij pijn had.

'Ik heb een computerprogramma geschreven,' ging mijn vader verder. 'Een programma dat de wereld zal veranderen. Het heet FACES en het is het beste *face recognition* ..., sorry, gezichtsherkenningsprogramma dat ooit is gemaakt. Wat het precies doet, zal jullie vanzelf duidelijk worden.'

Hij stak zijn hand uit en nam een slokje water uit een glas dat buiten beeld stond.

'Zoals de pompeuze meneer Janssen jullie vast verteld heeft, heb ik een reis uitgestippeld, een virtuele puzzeltocht op internet. Misschien vragen jullie je af waarom ik jullie niet gewoon ben komen opzoeken, maar daar heb ik mijn redenen voor ...'

Ik voelde mijn keel droog worden en mijn ogen nat.

Hij boog zich wat dichter naar de camera. Kennelijk had hij dit thuis opgenomen met een webcam. Zijn gezicht werd serieuzer en hij kneep zijn ogen samen. Hij viel even stil, wist kennelijk niet hoe hij verder moest gaan.

'*Anyway*,' zei hij ineens, 'boven in het beeld zie je een internetadres staan: *www.subroza.nl/message/*. Verander "message" in "puzzel1" en het spel begint. Veel succes. En vergeet niet ... jullie hebben slechts drie dagen ...'

En met die woorden boog hij zich voorover en zette de camera uit. Het filmpje sprong weer in de beginstand en mijn vader stond ons weer als James Bond aan te staren met een verbeten trek om zijn mond.

Subroza.nl

Lindel leek inderdaad op Colin: dezelfde gelaatsuitdrukking, alsof er vanbinnen van alles gebeurde wat niet naar buiten mocht. Net een vulkaan die op uitbarsten staat.

Ik veranderde het internetadres zoals mijn vader ons had opgedragen en zag het filmpje verdwijnen. In plaats daarvan verscheen de volgende tekst op het scherm:

Demaratus was een Griek die verbannen was uit zijn thuisland en zijn dagen sleet in de Perzische stad Susa, waar de Perzen een enorme troepenmacht opbouwden om Griekenland te veroveren. Ondanks zijn verbanning voelde Demaratus genoeg loyaliteit voor zijn land om het te waarschuwen voor de komende aanval. Hij gebruikte een houten tablet waarop hij met een mes zijn boodschap schreef. Daarna verborg hij de waarschuwing onder een laag kaarsvet, zodat het leek alsof de tablet leeg was. Hij verzond de boodschap en de Grieken waren gewaarschuwd. Het was een van de eerste vormen van steganografie, de kunst om teksten te verbergen.

Klik hier om met de eerste internetpuzzel te beginnen.

Lindel klikte op de link en de tekst verdween. In het

63

midden stond nu:

Ik zie, ik zie, wat jij niet ziet en het is ... geel.

Verder was het scherm helemaal leeg, op een teller bovenin na. Die was begonnen op 259.200 en telde nu de seconden af. Ik veegde mijn gezicht droog met mijn zakdoek en staarde naar de getallen die richting nul duikelden, terwijl er ondertussen een waterval van gedachten door mijn hoofd stroomde. Het was de eerste keer in mijn leven dat ik mijn vader zag en hoorde en het was een grotere schok dan ik had verwacht. Ik draaide mij om en vroeg Lindel of hij het misschien wilde overnemen. Ik ging op bed liggen en staarde door mijn tranen heen naar de lege plekken op het schuine dak. Pas na een paar minuten was ik een beetje tot bedaren gekomen en durfde ik weer rechtop te gaan zitten.

Lindel bewoog de cursor minutieus centimeter voor centimeter over het scherm, terwijl hij iedere seconde even klikte. Er gebeurde helemaal niets. Lindel verhoogde het tempo en begon steeds bezetener op het scherm te klikken, kennelijk om te bekijken of er ergens een onzichtbare link te vinden was.

'Er moet ergens iets zitten,' prevelde hij. 'Waar heb je het verborgen, papa, waar?'

'Lindel, wat bedoelt hij met dat raadsel?' vroeg ik. 'Wat zien we niet, dat geel is?'

'Geen idee,' antwoordde Lindel. 'We hebben hier helemaal geen tijd voor! *Zut!*

'Rustig, we zijn net begonnen, joh! Heb een beetje vertrouwen.'

'Dat bedoel ik niet, Roza! Ik bedoel …!'

Lindel tilde de muis op en even leek het alsof hij die door het computerscherm wilde gooien. 'Ik zie alleen máár geel!'

'Lindel!' riep ik. 'Doe effe rustig!'

Hij liet de muis weer zakken en ik zag hoe zijn vreemde, stoïcijnse kalmte weer terugkwam. In minder dan twee seconden van apathisch naar woedend en weer terug, wat een *weirdo*.

Lindel klikte nog een paar keer en heel even zag ik een letter opflitsen.

'Daar!' gilde ik. 'Ik zag iets, Lindel!'

Lindel klikte nog een paar keer op dezelfde plek, maar er verscheen niets meer. Toen begon hij zenuwachtig te lachen: 'Wacht even, misschien dat ik hem doorheb. Die Demaratus verborg zijn letters toch achter kaarsvet?'

Hij zette zijn muis in de linkerbovenhoek van het scherm en drukte de linkermuisknop in. Daarna sleepte hij de cursor over het beeld. Plotseling verscheen een nieuwe tekst.

'Colin heeft gele letters op een gele achtergrond gezet,' zei hij triomfantelijk. 'Je kunt ze pas lezen als je alles hebt geselecteerd.' Hij las de tekst hardop voor:

Jullie hebben de eerste puzzel opgelost! Gefeliciteerd, ik

wist dat jullie het konden! Ga nu naar puzzel 2. Je weet toch nog wel hoe?

Lindel klikte opnieuw op de internetpagina, maar er gebeurde weer helemaal niets. Hij liet de muis los. 'Begrijp jij wat hij bedoelt, Roza?'

Ik stond op, boog mij over hem heen, staarde naar het scherm en nam de muis over. Ik bewoog de cursor naar boven en klikte op de bovenste rand van het scherm. Een berichtje verscheen: 'Klikken heeft geen zin.'

'Krijg nou de baard van Sinterklaas,' zei ik. 'Hoe kunnen we verder als we niet kunnen klikken?'

Er werd geklopt. Ik blokkeerde het computerscherm met mijn lichaam en riep tegen mijn moeder dat ze mocht binnenkomen. Ze stak haar hoofd om de deurpost en zei: 'Mollig is weer verdwenen. Heb jij haar gezien?'

Ik schudde ontkennend mijn hoofd.

Mijn moeder aarzelde even (ze was gewoon nieuwsgierig hoever wij waren) en zei toen dat ze verder ging zoeken. Natuurlijk mam, sinds wanneer ben jij bezorgd om onze kat?

De deurbel ging.

'Dat zal de pizzabezorger zijn. Komen jullie zo meteen beneden eten?'

Ik knikte. 'Kom,' zei ik tegen mijn halfbroer, 'laten we eerst maar gaan bikken. Misschien komen we ondertussen op nieuwe ideeën.'

We verlieten de kamer en gingen naar beneden, maar niet voordat ik het beeldscherm had uitgezet, voor het geval mijn moeder weer zogenaamd per ongeluk binnenkwam.

Julius Caesar

Mijn moeder had de televisie aangezet en twee grote pizza's laten bezorgen. Terwijl we onze pizzapunten naar binnen werkten en de taaie korstjes wegspoelden met slokken cola, keken we naar het journaal. Het meeste nieuws ging over een burgeroorlog en politiek, onderwerpen waar ik mij normaal verre van hield (tot groot verdriet van mijn moeder). Maar het was nu even heel prettig om naast elkaar op de bank te zitten, te eten, te drinken en televisie te kijken, zonder dat we het over Colin hoefden te hebben.

Tegen het einde van het journaal, vlak voor het weerbericht, werd er nog een nieuwsitem uitgezonden over Sarah. Mijn moeder en Lindel volgden het onderwerp geboeid, terwijl ik naar de keuken liep om koffie te zetten. Ik had dit onderwerp tenslotte gisteren al uitgebreid bekeken (en was, eerlijk gezegd, even niet geïnteresseerd in erfenissen van overleden ouders). Ineens hoorde ik mijn moeder gillen: 'Roza, Roza! Kom snel!' Ik liet het koffiezetapparaat voor wat het was en rende terug naar de huiskamer, waar het gezicht van de pleegmoeder van Sarah levensgroot in beeld was. Ze was in een vergelijkbare designjurk gekleed als in de televisie-uitzending van gisteren, zonder de witte bontmantel waarin we haar vandaag hadden gezien, maar er was geen twijfel mogelijk: dit was dezelfde vrouw die ons in het café van onze spullen beroofd had!

'Dit is te bizar voor woorden,' hoorde ik Lindel zeggen.

Ik was het helemaal met hem eens. Het is alsof je beroofd wordt door Paris Hilton. Wie bedenkt nou zoiets?

'Ik ga dit tot de bodem uitzoeken,' zei mijn moeder resoluut. 'Ik heb nog wat tegoed van iemand die politie-inspecteur is; die bel ik morgenochtend meteen.'

'Misschien is het beter als ik morgen thuisblijf van school?' opperde ik voorzichtig. 'Dan kan ik internet afspeuren naar informatie over die feeks en dan kunnen Lindel en ik meteen verdergaan met Colins puzzels ...'

Mijn moeder tolereerde normaal gesproken niet dat ik onnodig een schooldag miste, maar misschien wilde ze vandaag een uitzondering maken. Ze had tenslotte nog wat goed te maken, vond ik, voor het achterhouden van mijn vaders brieven. Helaas dacht mijn moeder daar anders over: 'Geen sprake van, Roza, je gaat gewoon naar school. Laat Lindel maar puzzelen. Zijn studie is kennelijk niet belangrijk genoeg.'

'Maar, mam!' zei ik, de sneer naar Lindel negerend. 'We hebben maar drie dagen om alle internetpuzzels op te lossen en de eerste uren zijn alweer voorbij!'

'Sorry, Roza, maar hier is geen discussie over mogelijk. Je vader had niets over je te zeggen toen hij nog leefde en nu hij overleden is al helemaal niet.'

Lindel maakte van dit intieme moment (dat is sarcastisch bedoeld ...) gebruik om naar het toilet te vragen. Ik hapte naar adem, maar was hem stiekem dankbaar voor de onderbreking.

'In de gang is er één, o nee ... iemand hier heeft die gisteren niet zo schoon achtergelaten,' zei ik gemeen. 'De huishoudster komt morgen pas, dus gebruik het toilet op de eerste verdieping maar. Derde deur links naast mijn slaapkamer, daar is een badkamer met een tweede toilet.'

Dat herinnerde me aan de tweede puzzel die we moesten oplossen. Terwijl mijn broer de huiskamer uit liep en mijn moeder woest naar de televisie staarde, alsof ze de weerman van het scherm wilde kijken, bedacht ik of we misschien in een andere richting moesten denken. We draaiden continu in hetzelfde kringetje rond. Wat schreef Colin nou precies in zijn tekst? *Ga nu naar puzzel2. Je weet toch nog wel hoe?* Het was dus niet de bedoeling ergens te klikken; je moest ergens naartoe gaan. In de vorige puzzel moesten we naar puzzel1 gaan door het webadres te veranderen, dus ...

Ik had het! De tweede internetpuzzel: ik wist wat ik moest doen! Ik sprong op en rende de kamer uit, mijn moeder verbouwereerd achterlatend in de huiskamer.

Ik stormde de trap op met vier treden tegelijk (een gewoonte die mijn moeder haatte) en ik wilde net 'Lindel' roepen, toen ik hem zachtjes hoorde huilen. Ik liep naar de badkamerdeur en wilde vragen of alles goed ging, toen ik iets in het Frans opving. Het klonk alsof hij met iemand zat te telefoneren. Misschien was zijn moeder alweer thuis? Ik wilde net wegsluipen (hij hoefde niet de indruk te krijgen dat ik hem afluisterde, al verstond ik geen woord) toen ik Lindel ineens 'subroza.nl' hoorde zeggen, gevolgd door: *'Non, monsieur, je ne l'ai pas!'*

Wat had hij niet? Ik luisterde nog een paar seconden en hoorde hem toen *'Je te rappellerai tout à l'heure'* zeggen, wat volgens mij zoiets betekent als: 'Ik bel u later terug'. Ik sloop de gang uit en wachtte boven aan de trap. Toen ik hem hoorde doortrekken, rende ik opnieuw de gang in.

'Lindel! Lindel, ik weet hoe we bij de tweede puzzel kunnen komen. Het is volgens mij doodeenvoudig!'

'Wat?' vroeg hij.

Ik negeerde zijn betraande ogen. 'Ik heb de puzzel opgelost. Of, in ieder geval weet ik hoe we verder moeten, denk ik.' Ik deed alsof ik in ademnood was van het traplopen. 'Kom, ik zal het laten zien.'

Ik opende de deur naar mijn slaapkamer en zette het beeldscherm weer aan. De teller stond inmiddels op 256.497 en telde onverstoorbaar verder af. Ik ging zitten en bewoog met de muis de cursor helemaal naar boven, naar *www.subroza.nl/puzzel1*. Ik selecteerde het cijfer 1, veranderde het in een 2 en daarna drukte ik op enter.

Een nieuwe pagina verscheen. Deze keer stond er een kleurenfoto op van een oud beeld met daaronder de letters ROT13.

'Bingo!' zei ik.

'Wauw ...'

'Als dat het enige is wat je kunt uitbrengen, mag je wel koffie gaan maken,' sneerde ik, 'want dat ben ik vergeten. Zwart met één klontje suiker, graag. Mijn moeder vertelt je wel waar het koffiezetapparaat staat.'

Lindel kon natuurlijk niet weigeren. Het gaf mij even tijd om na te denken. Zou ik hem moeten uithoren over het telefoongesprek dat hij in de badkamer had gevoerd? Maar dan zou hij denken dat ik hem afgeluisterd had ...

Terwijl de gedachten als kogels door mijn hoofd kaatsten (leuke vergelijking, echt toepasselijk), selecteerde ik de ruimte boven in beeld met mijn muis, net als Lindel bij het vorige scherm had gedaan. Opnieuw verschenen er letters, deze keer in een of andere code:

WHYVHF PNRFNE JNF IBYTRAF QR BIREYRIREVAT QR RREFGR QVR TROEHVXZNNXGR INA PELCGBYBTVR: URG PBQRERA INA GRXFGRA, MBQNG MR IBBE NAQRERA BAYRRFONNE JBEQRA. BZQNG VA QR GVWQ INA PNRFNE JRVAT ZRAFRA URG NYSNORG ORURREFGRA, JNF URG EBGRERA INA QR YRGGREF INNX NSQBRAQR BZ ZRRYRMREF NS GR FPUEVXXRA. GRTRAJBBEQVT JBEQ URG PNRFNENYSNORG AVRG ZRR TROEHVXG, BZQNG URG TRZNXXRYVWX GR BAGPVWSRERA VF, MBNYF WHYVR ARG ORJRMRA UROORA. TN ANNE JJJ.FHOEBMN. AY/NGONFU IBBE QR IBYTRAQR CHMMRY.

Lindel kwam binnen met twee koppen gloeiend hete koffie.

'Ik ken niet veel meisjes die koffiedrinken,' zei hij, en hij vervolgde in één adem: 'Wat moet de pleegmoeder van de dochter van prinses Diana in vredesnaam met onze erfenis?'

Ik haalde mijn schouders op en nam mijn kopje dankbaar in ontvangst. Geen van mijn vriendinnen dronk koffie, maar ik was er al aan verslaafd sinds ik zeven was en de kopjes van mijn moeder mocht leegdrinken.

'Julius Caesar,' zei Lindel, terwijl hij in zijn kopje blies.

'Wat heeft Julius Caesar met de pleegmoeder van de dochter van prinses Diana te maken?' vroeg ik geïrriteerd.

'Niets, maar dat borstbeeld daar is van Julius Caesar.'

'De Romeinse keizer?'

'Nee, de Amerikaanse president, nou goed ... Ja, de keizer uiteraard. Hij heeft het Caesaralfabet ROT13 verzonnen. Dat betekent dat alle letters dertien plaatsen opgeschoven moeten worden. Ik gebruikte het vroeger wel eens op school, als we briefjes rondstuurden in de klas, al verschoven wij de letters meestal maar vijf plaatsen.'

Hij pakte een stuk papier en schreef daar de letters A tot en met Z op. Daaronder schreef hij het alfabet nog eens, beginnend met de letter N, de veertiende letter van het alfabet.

'Kijk,' zei hij wijzend op de twee rijen. 'Ik heb de

letters dertien plaatsen opgeschoven. ROT13 betekent "roteer 13".'

A B C D E F G H I J K L M N O P Q R S T U V W X Y Z
N O P Q R S T U V W X Y Z A B C D E F G H I J K L M

'Zie je A=N. Als we nu de tekst op het scherm erbij pakken ...'

Blij dat ik ook iets kon doen, pakte ik een tweede stuk papier en schreef de letters op, die Lindel hardop oplas:

'W = J, H = U, Y = L, V = I, H = U, F = S ...'

'Julius!' riep ik uit. 'Wauw, Lindel, het werkt! Super-gaaf!'

Het duurde ruim tien minuten om de hele tekst om te zetten. Ik zat met rode wangen te ontcijferen wat mijn vader te vertellen had:

JULIUS CAESAR WAS VOLGENS DE OVERLEVERING DE EERSTE DIE GEBRUIKMAAKTE VAN CRYPTOLOGIE: HET CODEREN VAN TEKSTEN, ZODAT ZE VOOR ANDEREN ONLEESBAAR WORDEN. OMDAT IN DE TIJD VAN CAESAR WEINIG MENSEN HET ALFABET BEHEERSTEN, WAS HET ROTEREN VAN DE LETTERS VAAK AF-DOENDE OM MEELEZERS AF TE SCHRIKKEN. TEGENWOORDIG WORDT HET CAESARALFABET NIET MEER GEBRUIKT, OMDAT HET GEMAKKELIJK TE ONTCIJFEREN IS, ZOALS JULLIE NET BE-WEZEN HEBBEN. GA NAAR WWW.SUBROZA.NL/ATBASH VOOR DE VOLGENDE PUZZEL.

Er werd op de deur geklopt. Ik zette snel het beeldscherm uit en riep dat mijn moeder mocht binnenkomen.

'Maken jullie het niet te laat?' vroeg ze, met een schuin oog op de computer.

Ik schudde mijn hoofd. 'Maak je geen zorgen, mam. Nog één puzzel en dan gaan we slapen. We willen natuurlijk niet dat ik morgen dodelijk vermoeid op school verschijn,' voegde ik er sarcastisch aan toe.

Met een klap sloeg mijn moeder de deur weer dicht. Lindel staarde ondertussen onbewogen voor zich uit.

'Sorry,' verzuchtte ik. 'Soms communiceren mijn moeder en ik niet zo geweldig ...'

'Ach, het kan veel erger, hoor,' mompelde hij. 'Je zou ons thuis eens moeten horen als mijn broertje weer zit te klieren.'

'Nog maar snel eentje proberen op te lossen dan, voordat mijn moeder gaat flippen?' vroeg ik, terwijl ik het computerscherm weer aanzette. Ik typte www.subroza.nl/atbash in en kreeg – je raadt het nooit – opnieuw een lege pagina. Alleen onderaan was een vakje zichtbaar waar je iets kon invoeren, met een enterknop ernaast.

Automatisch selecteerde ik de onzichtbare tekst en bekeek de code die op het scherm verscheen:

UZXVH RH VVM XLNKFGVIKILTIZNNZ WZG RP TVNZZPG SVY LN TVARXSGVM GV SVIPVMMVM. HRNKVO TVAVTW DVIPG SVG ZOH VVM HLLIG TLLTOV ELLI KOZZGQVH. RM KOZZGH EZM VVM DL-

75

LIW ELVI QV VXSGVI VVM ZUYVVOWRMT RM. SVG KILTIZNNZ
TZZG WZM LMORMV ALVPVM MZZI VVM NZGXS. ZOH QV YR-
QELLIYVVOW VVM ULGL EZM NZWLMMZ FKOLZWG, WZM ERM-
WG UZXVH ZOOV DVYHRGVH DZZILK ULGL'H EZM NZWLMMZ
HGZZM (VM TVOLLU NV, WZG ARQM VI SVVO EVVO). DZG RP
MRVG DRHG, RH WZG SVG KILTIZNNZ LLP UZNRORVOVWVM
PZM ERMWVM, NRGH AV TVMLVT LK VOPZZI ORQPVM. AL SVY
RP QFOORV DVYHRGVH TVELMWVM. RP TVYIFRPGV ZOH KILVU
VVM ULGL EZM QFOORV YVRWV NLVWVIH VM PDZN LK QFOORV
KVIHLLMORQPV KZTRMZ'H GVIVXSG.

ELVI SRVILMWVI QV V-NZROZWIVH RM VM WIFP LK VMGVI ELLI
WV ELOTVMWV ZZMDRQARMT.

Deze keer stonden er geen aanwijzingen bij, geen
borstbeelden of ingewikkelde roteercodes, helemaal
niets.

'ROT13 gaat niet meer werken, hè? Misschien een
andere, ROT3 of ROT6, of zo?'

Lindel zette voor alle zekerheid de eerste paar letters
om met het Caesaralfabet. Daarna probeerde hij ROT1
tot en met ROT7 en toen gaf hij het op; het resultaat
bleef even onleesbaar als het origineel.

'Wat gek dat er deze keer geen aanwijzing bij staat,
Lindel. Hij verwacht toch niet dat we als een gek gaan
zitten roteren?'

'Wie zegt dat er geen aanwijzing bij staat? Kijk eens
boven aan het scherm.'

Ik keek naar boven maar zag het niet, totdat ik het zag ...

'Atbash, wat betekent dat dan?'

'Geen idee, maar daar hebben we Google voor.'

Ik opende de zoekmachine en typte Atbash in. Twee klikken verder kwam ik in Wikipedia terecht, de gratis internetencyclopedie die door lezers zelf wordt bijgehouden. Ik begon te lezen:

Atbash is een eenvoudige substitutieversleuteling, vergelijkbaar met Caesarrotatie. Atbash komt voor in het Bijbelboek Jeremia (25:26 & 54:41) en wordt geassocieerd met de esoterische methodologieën van Joodse mystici. De naam komt uit het Hebreeuws en illustreert de werking: de eerste (letter) wordt de laatste. A (aleph) wordt Z (taw), B (beth) wordt Y (sin of shin): Atbash.

Ik keek Lindel met opgetrokken wenkbrauwen aan.

'Snap jij wat hier staat? O, wacht even.' Ik las de tekst nog een keer. 'Het lijkt ingewikkelder dan het is, volgens mij. A = Z ...'

'En Z = A,' vulde Lindel aan. 'Achterstevoren dus, dat is alles.' Hij pakte het papier weer en schreef op:

A B C D E F G H I J K L M N O P Q R S T U V W X Y Z
Z Y X W V U T S R Q P O N M L K J I H G F E D C B A

Hij zuchtte en keek met een schuin oog naar de teller. 'Dit is een lange tekst, het vertalen gaat uren duren. Denk je dat je moeder ons nog even laat doorwerken?'

'Wacht even,' antwoordde ik. 'Ik heb, geloof ik, iets gezien.' Ik klikte op de returnknop van de *browser* en kwam weer in de lijst met zoekresultaten terecht. Snel las ik ze door totdat ik de juiste gevonden had. 'Hebbes! Kijk!' Ik klikte op de link en kwam op een website terecht waar je teksten kon coderen én decoderen met Atbash in een onlineprogramma. Ik ging terug naar de subroza-pagina en kopieerde de gecodeerde tekst. Deze plakte ik in de vertaler en drukte op de *submit*-button. Even later verscheen de volgende tekst:

FACES IS EEN COMPUTERPROGRAMMA DAT IK GEMAAKT HEB OM GEZICHTEN TE HERKENNEN. SIMPEL GEZEGD WERKT HET ALS EEN SOORT GOOGLE VOOR PLAATJES. IN PLAATS VAN EEN WOORD VOER JE ECHTER EEN AFBEELDING IN. HET PROGRAMMA GAAT DAN ONLINE ZOEKEN NAAR EEN MATCH. ALS JE BIJVOORBEELD EEN FOTO VAN MADONNA UPLOADT, DAN VINDT FACES ALLE WEBSITES WAAROP FOTO'S VAN MADONNA STAAN (EN GELOOF ME, DAT ZIJN ER HEEL VEEL). WAT IK NIET WIST, IS DAT HET PROGRAMMA OOK FAMILIELEDEN KAN VINDEN, MITS ZE GENOEG OP ELKAAR LIJKEN. ZO HEB IK JULLIE WEBSITES GEVONDEN. IK GEBRUIKTE ALS PROEF EEN FOTO VAN JULLIE BEIDE MOEDERS EN KWAM OP JULLIE PERSOONLIJKE PAGINA'S TERECHT.

VOER HIERONDER JE E-MAILADRES IN EN DRUK OP ENTER

Ik volgde de instructies op. 'E-mailadres geaccepteerd' kwam er te staan. Deze tekst was voor de verandering niet gecodeerd. Ik geeuwde.

'Ik weet niet wat jij doet, maar ik ga naar bed,' zei ik slaperig. 'Zal ik even je slaapkamer wijzen?'

Lindel knikte. Ik wees hem de logeerkamer waar mijn moeder inderdaad het ouderwetse ledikant provisorisch had opgemaakt. De dozen waren zoveel mogelijk aan de kant geschoven, inclusief die waarin mijn knuffels zaten. Ik miste mijn konijn ineens heel erg ...

'Mijn moeder is niet de beste in het huishouden, dus dat opmaken moet je misschien nog een keer doen,' zei ik terwijl ik op het half opgemaakte bed wees. 'Welterusten, Lindel.'

'Welterusten, Roza.'

Ik onderdrukte een tweede geeuw en liep de logeerkamer uit. Lindel sloot de deur en ik ging terug naar mijn kamer. Eenmaal daar terug was mijn vermoeidheid plotseling verdwenen. Hoewel de avond zonder veel aanvaringen was verlopen, kon ik nog steeds het gevoel niet van mij afzetten dat Lindel iets achterhield. Ik rommelde wat in mijn tas totdat ik mijn mp3-speler gevonden had. Er zat één gigabyte geheugen op, dus daar kon ik wel een paar uur mee opnemen. Ik gooide mijn muziek eraf en wachtte tot ik Lindel naar de badkamer hoorde gaan. Daarna sloop ik de logeerkamer in.

Ik zette de speler op *record* (er zat zo'n minuscuul kleine microfoon in, waarmee je toch binnen een paar meter geluid kon opnemen) en legde hem onder het bed. Razendsnel greep ik mijn konijn uit de doos en verdween uit de logeerkamer. Even later lag ik samen met mijn knuffelkonijn in bed en hoorde ik Lindel welterusten zeggen tegen mijn moeder. Ik luisterde aandachtig naar de stilte. Een paar minuten later werd mijn geduld beloond: ik hoorde vaag Lindels stem uit de logeerkamer komen. Hij was weer aan het bellen, en morgen zou ik hopelijk weten met wie en waarom.

You've got mail

'*M*et wie spreek ik?'
'Met je vader, Roza. Ik mag je namelijk een geweldige aanbieding doen namens de ietwietwatwaaitweg-company!! Wat is je volledige voornaam en achternaam?'

Ik wilde Roza Poorterman zeggen, maar besefte dat het natuurlijk een strikvraag was. Snel rekende ik mijn naam om in ROT13.

'Ebmn Cbbegrezna,' antwoordde ik.

Vóór mij werd het gordijn geopend en er verschenen drie deuren.

Het publiek applaudisseerde en ik zag dat mijn vader en James Bond dezelfde persoon waren.

'Voor iedere deur die gesloten wordt, Roza, wordt een andere weer geopend. En nu de allerlaatste vraag. ALS je deze vraag goed hebt, word je in één klap miljonair! ALS je tenminste geen fouten maakt en ALS je niet voorgelogen wordt door je moeder of je halfbroer. Je moet natuurlijk wel al het geld opmaken voordat je vijfenveertig bent, anders kun je het niet meer vasthouden met je slappe handjes!'

'En dan nu, de allerlaatste vraag. Ben je er klaar voor, Roza?'

'Roza?'
Ik opende mijn ogen en staarde in het gezicht van

mijn moeder, die op de rand van mijn bed zat.

'Roza, wakker worden. Het is halfzeven, je moet opstaan.'

Ik bromde iets om aan te geven dat ik haar gehoord had.

'Jij kwam van ver,' zei ze. 'Mooie droom gehad?'

Ik mompelde iets over een televisiequiz, maar had eigenlijk geen idee meer wat ik gedroomd had; alleen dat mijn vader erin voorkwam. Mijn moeder draaide zich om en wilde mijn kamer verlaten, toen ik haar zag aarzelen en weer terugkomen.

'Roza, kunnen we vanavond samen praten over je vader ... en over de brieven ...?'

Ik knikte: 'Graag, mam.' Goh, mijn moeder wilde praten ... De wonderen waren de wereld nog niet uit.

'Mooi, afgesproken. Kom, opstaan; je broer staat al onder de douche.'

Mijn broer ... zo zag ik hem nog helemaal niet. Ik hield het voorlopig bij Lindel.

Terwijl mijn moeder de kamer verliet, verscheen onze supermagere kat Mollig (ja, wij zijn de leukste thuis) mauwend voor het slaapkamerraam. Ik liet haar samen met de decemberkou binnen.

'Hé Mollig, waar kom jij opeens vandaan?'

Snel schoot ik mijn ochtendjas aan en ging achter mijn computer zitten. Mollig sprong meteen op schoot. Ik opende mijn e-mailprogramma, terwijl ik haar ondertussen met mijn linkerhand achter haar oren krabde.

Ik had drie echte e-mailtjes ontvangen (en wat spam-mail – kan iemand daar niet eens een goed computer-programma voor verzinnen?). Eentje van mijn vriendin, die meldde dat we het laatste lesuur vrij hadden omdat meneer Hermans ziek was, eentje van mijn nichtje en eentje van ... Colin DeVries ...

De piramide van Bakkeveen

De piramide van Bakkeveen
Colin DeVries [colindevries@subroza.nl]
To : Roza Poorterman

Hoeveel bakstenen telt de piramide van Bakkeveen?

Weet je het antwoord? Klik dan hier.

Ik klikte op de link en de inmiddels overbekende sub-roza-site opende zich. Deze keer was er alleen een invulvakje met een enterknop ernaast. Bovenin stond de teller inmiddels op 221.832 seconden.

Ik had nog nooit gehoord van de piramide van Bakkeveen. Zou het iets uit een geschiedenisboek zijn? (In dat geval wist mijn moeder zeker het antwoord, maar die wilde ik er liever niet bij betrekken.) Zou Lindel het weten? Nee, die was nog nooit ergens in Nederland geweest, behalve in Amsterdam, en Bakkeveen klonk niet bepaald als een Frans gehucht.

O, Lindel, shitshit! Ik moest nog wat ophalen in de logeerkamer! Ik duwde Mollig van mijn schoot, sloop de gang op (vreemd idee dat je geheimzinnig moest doen in je eigen huis) en klopte op zijn slaapkamerdeur voor het geval hij alweer terug was uit de badkamer. Niemand reageerde en ik ging zijn slaapkamer in, gevolgd door Mollig, die meteen tussen de dozen begon te snuffelen. Op mijn knieën zocht ik onder het bed naar de verborgen mp3-speler. Even dacht ik dat Lindel hem gevonden had, maar het apparaat bleek onder het op de grond gegleden dekbed te liggen. Ik greep de mp3-speler van de grond en verliet haastig de logeerkamer. Gelukkig dacht ik eraan zijn deur weer te sluiten.

Ik gooide de mp3-speler met koptelefoon en al in mijn rugzak en bekeek op mijn lesrooster welk vak we het eerste uur hadden. Hoe toepasselijk: Frans ...

'Goeiemorgen, Roza,' klonk een stem vanaf de gang. Goh, wat hebben we vandaag ineens een goed humeur. Ik liet me niet kennen en antwoordde vrolijk: 'Goeiemorgen, Lindel, lekker geslapen?'

'Mwah, ging wel. Ik moest behoorlijk wennen aan de stilte. Het viel me vannacht pas op hoe overvol Parijs zit met verkeersgeluiden.'

Hij liep naar de logeerkamer en werd zowat omvergegooid door een mauwende Mollig, die de kamer uit snelde toen hij de deur opendeed. Lindel grijnsde: 'Ik geloof dat ik jullie poes gevonden heb! Kennelijk heeft ze de hele nacht bij mij op de kamer gezeten. Niks van gemerkt!'

'Ja,' stamelde ik, 'dat eh ... moet haast wel. Geen idee hoe ze daar anders gekomen kan zijn ...' Ik voelde hoe ik een vuurrode kleur kreeg. 'Ik ga ook even douchen. Ik zie je zo dadelijk aan de ontbijttafel, oké?'

Lindel mompelde iets wat als 'ja' klonk en ik stormde de badkamer in. Poeh, dat was op het nippertje. Wat ben je toch een onnozele hals, Roza!

Eenmaal beneden was ik een beetje tot bedaren gekomen. Lindel en mijn moeder zaten geanimeerd te praten, wat me verbaasde. Misschien had een nacht slaap Lindel (en mijn moeder?) socialer gemaakt?

'Heb je nog gekeken of er e-mail was?' fluisterde Lindel, toen mijn moeder naar de keuken liep om koffie te zetten.

'Mmmm,' knikte ik met een mond vol pindakaas. 'Hoeveel bakstenen telt de piramide van Bakkeveen?'

'De piramide van wat?'

'Al sla je me dood. Maar dat mag jij gaan uitzoeken vanmorgen, want ik moet van mijn moeder gewoon naar school. Ik heb tot vier uur vanmiddag les, dus je hebt zeeën van tijd.' Wij wisten natuurlijk allebei dat dat niet waar was, maar Lindel knikte toch dat hij het begrepen had. Ik slikte mijn laatste hap volkorenbrood weg (nooit witbrood in dit huis), gaf mijn moeder een zoen, greep mijn rugzak, trok een dikke winterjas aan (het was koud) en stormde naar de voordeur. Ik wilde op tijd weg vandaag, zodat ik mijn twee vriendinnen voor zou zijn, die dezelfde route als ik fietsten. Ik was van plan onderweg in alle privacy het telefoongesprek van Lindel te beluisteren op mijn mp3-speler.

Op de deurmat zag ik de ochtendkrant liggen. De krantenkop schreeuwde: DOCHTER LADY DI CLAIMT MILJOENEN. Niet echt verrassend ... Binnen drie dagen zou ik weten of ik ook miljonair zou worden. Misschien zouden we een keer kunnen afspreken samen, als miljonairsdochters onder elkaar. Ik moest giechelen bij het idee.

Pascal

Ik vloekte toen ik op de straathoek mijn twee beste
vriendinnen zag staan. Zij waren dus ook vroeg vandaag; daar ging mijn plannetje.

'Zo zo, nou al wakker?' riep Jeanette. 'Heb je soms
een afspraakje met iemand?'

Ik grinnikte, deed mijn koptelefoon af en liet de oor-
tjes over mijn sjaal bungelen. Ik had de opname van
Lindels telefoongesprek net één keer afgeluisterd en begreep er geen snars van (behalve dat ik vrijwel zeker wist
dat het telefoongesprek niet met zijn moeder was, maar
met een man). Wel ving ik een paar woorden op die ik
herkende. Subroza was er uiteraard een van, en ook de
naam Pascal kwam een paar keer voorbij. Gelukkig had
ik zo Franse les (de eerste keer in mijn leven dat ik blij
was dat ik Frans had, geloof me) en daar lagen genoeg
woordenboeken. Het telefoongesprek duurde nog geen
minuut, dus ik moest het voor elkaar krijgen het binnen
een lesuur te vertalen. Ik fietste achter mijn vriendinnen
aan, ondertussen meekletsend over van alles en vooral
niets.

Na een halfuur grammatica-uitleg mochten we eindelijk zelfstandig aan het werk. Ik was expres achter in het
klaslokaal gaan zitten, achter Björn, die ongeveer twee

keer zo breed is als ik, zodat ik onzichtbaar werd voor de spiedende ogen van mevrouw Martina. Ik deed mijn koptelefoon weer op en dook achter Björn weg. Iedere keer als ik een paar woorden afgeluisterd had, pauzeerde ik het fragment en schreef op wat ik dacht te verstaan. De woorden die mij niets zeiden, probeerde ik op te zoeken. Na een tijdje had ik het volgende gevonden:

Ja, dit is Lindel. Wat bedoelt u? Ik heb jullie toch alles gegeven? Nee, ik heb niets uit de envelop gehaald, ik weet niet waar u het over hebt! Echt niet, meneer Little! Ik wil mijn broertje spreken, anders praat ik niet meer met u!
(stilte, gerommel)
Pascal? Is alles goed met je? Word je ...? (kon ik niet verstaan)
(opnieuw gerommel)
Ja, ik snap het, maar ik weet echt niks van een sleutel!
Roza? Nee, die vermoedt niets.
Als jullie mijn broertje niet vrijlaten, dan ... (klik)

Wat? Met wie sprak Lindel hier? Wat bedoelde hij met 'mijn broertje vrijlaten'? Was Pascal ontvoerd of zoiets? Dat kan toch haast niet? Lindel en zijn moeder waren helemaal niet rijk! Zou het iets met Colin te maken hebben? Ik raakte helemaal in paniek. Waar waren wij in hemelsnaam in verzeild geraakt?

Een schaduw viel over mijn tafel. Ik schrok enorm en slaakte een gilletje.

'Laat me eens raden: Britney Spears heeft een Franstalige single opgenomen?'

Ik keek opzij naar het gezicht van mevrouw Martina. Haar normaal zo guitige gezicht stond op onweer. Ze hield haar rechterhand op, klaar om de mp3-speler in ontvangst te nemen. Ik probeerde een grapje te maken, terwijl ik mijn koptelefoon afdeed: 'Britney Spears, mevrouw Martina? Die spreekt nauwelijks fatsoenlijk Engels, laat staan Frans ...'

'Dan ben ik erg benieuwd naar welke Franse chansons jouw voorkeur uitgaat, Roza. Zullen we er gezamenlijk naar luisteren? En o wee als ik één woord hoor dat niet uit Frankrijk komt ...'

'Jaaaaa!' schreeuwde de klas, blij met de onderbreking en de belofte dat er muziek zou komen (en de vernedering van een klasgenoot). Ik protesteerde nog, maar het was al te laat: mevrouw Martina had een paar speakers uit de kast getrokken en aangesloten op mijn mp3-speler. Even hoopte ik nog dat ze niet wist hoe ze hem moest aanzetten, maar dat viel vies tegen.

Even later schalde Lindels stem door het klaslokaal. De meeste klasgenoten reageerden stomverbaasd toen ze iemand Frans hoorden spreken. Ik geloof dat iedereen Engelstalige popmuziek verwachtte. Mijn vriendinnen begonnen meteen te smiespelen, er vast van overtuigd dat ik er een buitenlands vriendje op nahield. Niemand nam de moeite te luisteren wat er eigenlijk gezegd werd, niemand, behalve mevrouw Martina. Haar gezicht stond bezorgd, alsof ze precies begreep waar het over ging.

Halverwege het telefoongesprek ging gelukkig de zoemer en greep iedereen naar zijn tas om zo snel mogelijk naar buiten te stormen. Shit, hoe moest ik mij hier nou weer uit kletsen?

Mijn lerares gebaarde dat ik moest blijven zitten. Samen luisterden we het telefoongesprek helemaal af. Daarna kwam ze bij mij op tafel zitten. Ik hoorde het hout kraken.

'Is er iets wat je wilt vertellen, Roza?'

Ik klemde mijn lippen op elkaar, alsof ik bang was dat ik mijzelf zou verraden.

'Nee, mevrouw,' perste ik er uiteindelijk met moeite uit. 'Ik zou niet weten wat ...'

'En deze ... sinistere boodschap die we net gehoord hebben?'

Ik mompelde iets over een hoorspel dat ik online gevonden had, op een Franstalige website, maar het was duidelijk dat ze me niet geloofde. Toen ze zich realiseerde dat ik niets meer zou loslaten, gaf ze me mijn mp3-speler terug met een blik die ongerustheid uitstraalde. Ik bedankte haar en vluchtte de klas uit. Ik besloot de rest van de lessen te skippen, sprong op mijn fiets en racete naar huis. Er was een reden bij gekomen om de puzzels snel op te lossen: Pascal.

Het verhaal van de sleutel

'Ze hebben Pascal en jij bent aan het gamen?' Ik ontplofte zowat.

Lindel stopte onmiddellijk met het spelen van zijn spelletje en draaide zich ontdaan om: 'Wat weet jij van Pascal?'

'Dat hij ontvoerd is door ene Little en dat jij hem vrij probeert te krijgen, met iets wat je hebt achtergehouden,' gokte ik.

'Wat ... hoe kom je daar nou bij? Pascal zit gewoon thuis bij mijn moeder ...'

'Natuurlijk, en vannacht zat jij huilend van blijdschap met hem te telefoneren op je slaapkamer,' antwoordde ik sarcastisch. Vertel nou maar gewoon wat er gebeurd is, Lindel,' blufte ik. 'Het meeste weet ik toch allang ...'

Lindel zag eruit alsof hij ieder ogenblik in tranen kon uitbarsten, maar hij vermande zich en foeterde toen zachtjes: 'Toen wij eergisteren in de trein zaten, kreeg ik een telefoontje van iemand die zich Benjamin Little noemde. Hij vertelde dat hij naar Pascals school was gegaan en zich daar had voorgesteld als zijn oom. De lerares wist dat wij naar Nederland waren en heeft Pascal aan hem meegegeven. Ongelooflijk, hè?'

'Serieus?' vroeg ik. 'Zonder iemand te bellen of te controleren of hij écht familie was? Weet je zeker dat je broertje ook inderdaad met hem is meegegaan?'

'Ja, want ik kreeg daarna Pascal zelf aan de telefoon. Hij vroeg meteen wanneer hij naar huis mocht en waarom hij met deze meneer mee moest ...'

'Maar waarom, waarom hebben ze Pascal ontvoerd? Wat willen ze van jullie? Ik neem aan dat jullie geen miljoenen ergens verborgen hebben. Heb jij echt iets gestolen?'

Lindel knikte en legde uit: 'Monsieur Little (hij sprak het uit als Leetle) vertelde mij dat we bij het voorlezen van het testament een envelop overhandigd zouden krijgen van Colins notaris, met daarin óf een cd-rom óf een kluissleutel. Wat er ook in zat, ik moest de envelop ongeopend overhandigen aan een mevrouw die mij zou opwachten bij de ingang van het notariskantoor.'

'De vrouw met de witte bontmantel? De pleegmoeder van Sarah, de dochter van Diana? Jij wist dat ze onze spullen zou komen afpakken en toch ...?'

'Ik wist dat er íémand zou komen voor de envelop. Ik moest doorgeven wanneer we klaar waren bij de notaris, dus ik verstuurde een sms'je vanaf het toilet ...'

'Dat rare verhaal over de zieke Pascal, dat hadden jullie gewoon verzonnen, jij en je moeder, toen jullie samen stonden te smoezen?'

Lindel snikte: 'Ik ... ik wilde de envelop niet afgeven. Ik was zo bang dat ze Pascal ergens in de Seine zouden gooien in plaats van hem vrij te laten, als ze de envelop zouden hebben.'

'Zouden ze dat echt doen? Met een kleuter van vijf?!'

'Ik weet het niet, Roza, ik weet het eerlijk niet! Maar ik durfde het risico niet te nemen!'

Ik herinnerde me hoe Lindel op straat iets in Marie-Julies handen had gedrukt, iets kleins ...

'Laat me raden,' zei ik. 'Wat er in de envelop zat, heb je eruit gehaald op het toilet en buiten aan je moeder gegeven. Het was kleiner dan een cd-rom, wat je haar toestopte, dus dan moet het de kluissleutel zijn geweest, waar die vent het over had.'

Lindel keek me met een verwrongen glimlach aan: 'Je hebt gelijk, het is waarschijnlijk een kluissleutel. Colin had alleen de kenmerken eraf gevijld, dus ik heb geen idee wáár die kluis zich bevindt.' Hij keek mij hoofdschuddend aan. 'Ik neem terug wat ik eerder heb gezegd: jij begrijpt wél alles, hè?'

'Ja, het is mijn blonde haar,' zei ik, terwijl ik mijn lokken heen en weer schudde als een fotomodel in een shampooreclame. 'Dat zorgt ervoor dat mensen mij onderschatten.'

Ik probeerde alles wat ik gehoord had op een rijtje te zetten. Lindel had de kluissleutel aan zijn moeder meegegeven, en die had het ding weer meegenomen naar Parijs. Nou maar hopen dat de kluis zich niet op een treinstation in Londen bevond, of in een bankgebouw in Zuid-Afrika ...

'Lindel, wat als ze je broertje iets aandoen omdat je niet hebt gehoorzaamd?' vroeg ik angstig.

'Ik weet het. Waarom denk je dat ik zo'n ruzie met mijn moeder had? Ik vertrouw ze niet. Wie zegt dat Pascal het gezicht van die Benjamin Little niet heeft gezien? Zou jij iemand vrijlaten die jouw gezicht kan beschrijven aan de gendarmerie?'

'En zolang jij de kluissleutel hebt ...'

'... doen ze hem waarschijnlijk niks ...'

'Maar waarom zei je dan door de telefoon dat jij niets van een sleutel wist?'

'Ik raakte in paniek!' Hij klonk wanhopig, alsof hij dit gesprek al uren met zichzelf had gevoerd. 'Nadat dat … pleegloeder ons beroofd had, besefte ik dat jullie ook gevaar lopen! Als ik toegeef dat ik de kluissleutel in mijn bezit heb, staan ze hier zo voor de deur!'

Als dat waar was, dan was het slechts een kwestie van tijd voordat ze hierheen zouden komen, al was het alleen maar om te controleren of Lindel inderdaad de waarheid had gesproken.

'We moeten maken dat we hier wegkomen, Lindel; het is hier absoluut niet veilig.'

'Denk je?' vroeg hij bang. 'Denk je niet dat ...'

Ik schudde mijn hoofd terwijl ik vroeg: 'Hoe heb je de sleutel eigenlijk uit de envelop gekregen? Ik heb je het lakzegel pas zien verbreken in het café.'

Hij vertelde hoe hij een kleine scheur onder in de envelop had gemaakt, zodat hij de sleutel in zijn hand kon laten glijden.

'Die scheur hebben zij natuurlijk ook gezien, Lindel.

Waarschijnlijk zijn ze al onderweg hiernaartoe, tenzij ze doorhebben dat je moeder de kluissleutel heeft. Is Marie-Julie al thuis?'

'Nee,' zei Lindel. 'Ze zit bij haar zus, ergens in een buitenwijk.'

'Bel haar en vertel dat ze daar weg moet. Ze moet niet bij familie blijven. Daar zoeken ze het eerst.' Ik moest denken aan de verhalen van mijn moeder over de mishandelde vrouwen die ze soms vertegenwoordigde en hoe vaak hun man of broer hen gevonden had omdat ze bij een bekende ondergedoken zaten. Terwijl Lindel ging bellen, haalde ik mijn reiskoffer onder mijn bed vandaan en begon snel wat kleren in te pakken. Lindel had een weekendtas bij zich, die ik alvast voor hem uit de logeerkamer haalde.

'Wat doen we daarmee?' vroeg hij, terwijl hij naar de computer wees.

'Mijn moeder heeft hier nog een oude laptop staan,' antwoordde ik. 'Die heeft draadloos internet, als het goed is. Die nemen we mee. We kunnen verder puzzelen in de trein.'

'Ik bedoelde het spel ...' zei hij terneergeslagen. Nu Lindel eindelijk zijn geheim had verteld, leek hij alle energie verloren te hebben.

'Is dat een puzzel dan?' vroeg ik. Lindel knikte, en ik schaamde me een beetje dat ik hem beschuldigd had van nutteloos gamen.

'Wat is de bedoeling?' vroeg ik.

Lindel legde me de spelregels uit en vertelde dat je doorging naar een volgend scherm als je de *high-score* van Colin gebroken had.

'En je kunt zeker niet saven?' vroeg ik. 'Balen, dus we moeten het spelletje eerst uitspelen, voordat we weg kunnen.'

'Of opnieuw beginnen,' zei Lindel. 'Ik ben nog niet zolang bezig.'

'Laten we dat dan doen. Schrijf jij het internetadres even op?'

Lindel toetste www.colinsgame.nl in op zijn mobieltje en stuurde het naar mij als sms'je. Even later hoorde ik mijn telefoon piepen. Niet vergeten mee te nemen, dat ding.

'Dankjewel. Heb je het telefoonnummer nog van die vent, die Benjamin Little?'

Lindel knikte. 'Hoezo?'

'Zomaar.'

Ik rende naar mijn moeders slaapkamer en haalde haar laptop tevoorschijn. Het was er een uit de prehistorie, maar er zat Windows op en draadloos internet; meer hadden we niet nodig. Ik belde een taxi.

'Waar gaan we naartoe?' vroeg Lindel.

'Dat zie je straks vanzelf.'

Terwijl we op de taxi stonden te wachten (binnen, ik wilde zoveel mogelijk uit het zicht blijven), vertelde Lindel hoe hij de puzzel van de piramide van Bakkeveen had opgelost. Bakkeveen bleek een plaatsje in Friesland te zijn, waar iemand een echte piramide had gebouwd van bakstenen.

'Stel je er niet te veel van voor, hoor,' zei Lindel. 'Zo groot was hij niet. Maar er stond een foto op internet en je kon met een beetje nadenken uitrekenen uit hoeveel stenen hij bestond.'

'En toen?'

'O, toen kwamen er nog een paar mailtjes binnen, steeds met andere internetpuzzels, die weer verwezen naar gloednieuwe internetpuzzels. Uiteindelijk kwam ik bij het spel terecht.'

De taxi reed voor en toeterde. We gooiden onze tassen en koffer in de achterbak en reden weg. Wat een geluk dat ik wist waar mijn moeder het geld bewaarde om Ania van te betalen. Goed dat mijn moeder haar had afgebeld. Vandaag zou ze het geld in elk geval niet missen. Daarna pakte ik de sleutel van het huisje van mijn oma.

Aalten

Mijn oma is een paar jaar geleden overleden (mijn opa is al veel langer geleden gestorven) en heeft mijn moeder haar ouderlijk huis nagelaten. Het ligt midden in de bossen en is gebouwd door mijn betovergrootvader. Nu gebruiken mijn moeder en ik het voornamelijk als vakantiehuisje, vooral als mijn moeder *stand-by* moet zijn voor haar werk.

Het geld dat ik had meegenomen (gestolen), was genoeg voor de treinreis en een tweede taxirit vanaf station Aalten naar het huisje. Onderweg belde mijn moeder. Ze had een verontrustend telefoontje gekregen van mevrouw Martina en wilde weten wat er in vredesnaam aan de hand was. Ik besloot (gedeeltelijk) open kaart te spelen en vertelde mijn moeder over de ontvoering van Pascal. Ik praatte zachtjes, zodat ik geen vreemde blikken van de andere treinreizigers zou krijgen. Ik merkte dat mijn moeder het er moeilijk mee had dat Marie-Julie de politie er niet onmiddellijk bij had gehaald, maar ze besefte waarschijnlijk ook wel dat zij weinig zou bereiken als zij zelf contact zou opnemen met de Franse politie. We spraken af dat we het er vanavond verder over zouden hebben.

'Waar ben je eigenlijk?' vroeg ze nog. 'Zijn jullie niet

thuis?' Ik mompelde iets over dat we vastzaten met de internetpuzzels en net uit de trein stapten op station Utrecht, omdat we gingen winkelen op Hoog Catharijne. Daarna hing ik op.

De trein arriveerde in Aalten en ik ging op zoek naar een treintaxi. Onderweg stopten we nog even bij de plaatselijke supermarkt om een voorraadje eten in te slaan.

Het was al pikdonker toen we bij het huisje aankwamen. Maar goed dat ik de huissleutel had, anders hadden we een ruitje moeten inslaan. De taxichauffeur wachtte keurig tot wij binnen waren, voordat hij wegreed.

Ik had één keer eerder in mijn eentje in het vakantiehuisje geslapen. Het was op een vrijdagmiddag toen mijn moeder onverwacht moest terugreizen naar Hilversum voor een uitspraak van de kantonrechter. Ze zou de volgende dag weer terugkomen en vroeg of ik wilde blijven, of mee terugrijden. Ik zei stoer dat ik me wel zou redden, maar daar kreeg ik 's avonds ontzettende spijt van. Het huisje was slecht onderhouden en iedere paar seconden kraakte er wel ergens iets (geluiden die ik daarvoor nooit gehoord had). Tot overmaat van ramp zag ik achter iedere struik in de tuin een gedaante met een hakbijl staan. Ik heb die nacht werkelijk geen oog dichtgedaan (en ik ben normaal echt niet zo'n bangeschijterd).

Het gevoel van gevaar besloop mij nu ook weer, toen ik de keukendeur achter Lindel en mij afsloot, maar deze keer was het risico dat we liepen een stuk reëler. Wat nou als we gevolgd waren? Ik ging ervan uit dat Benjamin Little en onze vrouwelijke belager niet wisten wie ik was en dus ook niet wisten dat wij hier een vakantiehuisje hadden, maar was dat ook werkelijk zo? Ze noemde me bij mijn naam in het café. Misschien had ik mijn eigen raad moeten opvolgen en een hotelkamer moeten boeken, ergens in Tietjerksteradeel.

Nadat we onze spullen hadden uitgepakt, ging Lindel het avondeten klaarmaken en nam ik het computerspelletje van hem over. Mijn moeder had vorig jaar draadloos internet laten installeren, zodat ze tijdens onze vakanties gewoon kon doorwerken. (Mijn moeder werkt tenslotte altijd.) Ik zorgde ervoor dat ik weer online was voordat ik verder speelde; ik wilde niet het risico lopen dat ik straks opnieuw moest beginnen. Ik had gehoopt dat de secondeteller opnieuw zou beginnen, omdat we een andere computer gebruikten (iets met *cookies* of zo), maar dat bleek ijdele hoop. Geen Momo's tijdbloem voor ons, dus.

We aten onze broodjes hamburger met gebakken aardappelen (*avec mayonaise*) op met de laptop tussen ons in. De teller stond inmiddels op 172.232. We hadden nog minder dan 48 uur te gaan.

Lindel en ik wisselden van plek, zodat hij weer kon gamen en ik koffie kon zetten. Vanuit de keuken hoorde ik Lindel roepen: 'Roza, ik heb hem!' Ik ging snel naast hem zitten en staarde naar een gloednieuwe puzzel.

'Oké, daar gaan we weer,' zei ik. 'We hebben de letters gehad, nu krijgen we de cijfers ... Ik hoop dat jij een beetje goed bent in rekenen, want dit ziet eruit als hogere wiskunde ...'

Lindel gaf geen antwoord, maar opende de rekenmachine op de computer. De puzzel was deze keer een som:

402? x 1? = ?441? + 51?? = ?9582

Welk cijfer moet er op de plek van het vraagteken staan?

'Ik neem aan dat overal hetzelfde getal moet komen te staan,' zei Lindel, 'anders had er wel "cijfers" gestaan in plaats van "cijfer". 'Waarschijnlijk is het een getal dat nog niet gebruikt is; dat betekent dat het drie, zes of zeven kan zijn. Als dat niet werkt, ga ik andere cijfers proberen.'

Hij toetste "4023 x 13" in op de rekenmachine en kreeg "52299". Dat leek niet eens op ?441?, dus probeerde hij het met de zes. Die was raak: "64416" was het antwoord. 64416 + 5166 leverde 69582 op. Onder aan de pagina vulde Lindel het cijfer zes in en drukte vervolgens op enter. Een nieuwe puzzel verscheen, maar nu stond het cijfer zes boven de puzzel in een cirkel. Ik bestudeerde een tekening van vier kinderen die achter een bankje stonden. Eronder stond het volgende verhaaltje geschreven:

Victor, Erik, Rianne en Iris willen graag op de bank zitten.
Maar:
• Iris wil niet naast Rianne zitten.
• Erik wil niet naast Victor zitten.
• Rianne wil ook niet naast Victor zitten.

Schrijf hieronder de beginletters van de namen in de juiste
volgorde op.

'Hmm, *it sucks to be Victor*,' zei ik. 'Los jij deze puzzel
maar op; ik moet echt even koffie hebben.'

Toen ik terugkwam, was Lindel alweer een puzzel verder. Ik zag een nieuwe tekening, van een jongen en een
meisje deze keer. Volgens de tekst heetten ze Jasmijn en
Jochem en waren ze een tweeling, wat ik knap vond,
want ze leken helemaal niet op elkaar (twee-eiig misschien?). Boven aan het scherm stonden twee getallen:
een zes en een vier. Het meisje zei (in een tekstballon):
'Ik heb vijf broers!' Haar tweelingbroer antwoordde:
'Ik heb evenveel broers als zussen.' Onderaan stond de
vraag: 'Hoeveel leden telt dit gezin?'

'Tien, dus,' zei Lindel, en hij wilde het getal al invul-
len, toen ik hem tegenhield.

'Nee, negen. Het meisje heeft vijf broers. De jongen
heeft dus vier broers, want hij is geen broer van zichzelf.
Hij heeft dus vier zussen, waaronder zijn tweelingzus

Jasmijn. Jasmijn en Jochem zijn twee, plus vier broers is zes, plus drie zussen is negen, snap je?'

'Als jij het zegt, dan is het vast goed,' zei Lindel met draaiende ogen, en hij vulde het getal negen in. Een nieuwe puzzel verscheen en de getallen zes en vier boven aan het scherm werden aangevuld met een negen. Ik hoopte maar dat ik gelijk had.

Na negen ingewikkelde rekenpuzzels stond er 649608430 boven aan het scherm. We konden niet verder, want er waren geen enterknoppen meer, geen rekensommen of wiskundige problemen die opgelost moesten worden en geen verborgen aanwijzingen.

'Koffie?' vroeg ik met gespeelde vrolijkheid aan Lindel. Regel één in huize Poorterman: bij twijfel, veel koffie drinken.

'*Non, merci,*' zei hij afwezig. 'Ik snap niet hoe jij al die bakken wegkrijgt en toch niet steeds loopt te stuiteren.'

Ik grinnikte, liep naar het koffiezetapparaat en kreeg de schrik van mijn leven toen ik Lindel hoorde krijsen alsof hij vermoord werd. Ik draaide mij meteen om en sloeg per ongeluk mijn koffiekopje van het aanrecht, dat in tientallen stukken uiteensloeg op de plavuizen.

'Wat is er?' schreeuwde ik. 'Hebben ze ons gevonden? O wee als het niks ernstigs is, Lindel. Ik raak gestoord van dat gekrijs iedere keer als ik koffie ...'

Benjamin Little

Het beeldscherm stoorde, alsof iemand bij een ouderwetse televisie de antenne heen en weer bewoog. Door de ruis heen verscheen het gezicht van een kale man met een roodkleurige ringbaard en een grote, donkere zonnebril die zijn ogen verborg. Hij schreeuwde ons iets toe in het Engels, met een licht accent, dat net zo goed Duits als Nederlands had kunnen zijn: 'Dit is mijn eerste en meteen mijn laatste waarschuwing! Stop met het oplossen van de internetraadsels! Wij weten wie en waar jullie zijn! Als jullie doorgaan met puzzelen zal dat grote gevolgen hebben voor jullie toekomst! Denk aan wat Colin is overkomen!'

Daarna stoorde het beeld opnieuw en kwam de getallenreeks weer in beeld.

'Was dat ...'

'Benjamin Little? Ik vermoed het wel,' zei Lindel. 'Zijn stem klinkt precies hetzelfde als door de telefoon.'

'Hij zei ...' Mijn stem haperde; het drong ineens tot me door wat Little had gezegd. 'Hij zei: "Denk aan wat Colin is overkomen ..." Lindel, zouden ze onze vader hebben vermoord?'

'Heb je daar ooit aan getwijfeld?' antwoordde Lindel neerslachtig.

'Ik heb er zelfs nog helemaal nooit bij stilgestaan,' zei

ik, en ik begon te huilen. Lindel kwam naast me staan en legde stuntelig zijn arm om mijn schouder.

'Roza ... Pascal, hij ... We moeten ...'

Hij hoefde de zin niet af te maken. We moesten verder, voor Pascal. Als ze mijn vader inderdaad vermoord hadden, wat voor kans maakte Pascal dan?

Mijn telefoon ging. Shit, ongetwijfeld mijn moeder. Dat betekende dat ze vroeg thuis was gekomen en ons gemist had. Snel haalde ik mijn mobieltje uit mijn tas en nam op.

'Roza! Waar zijn jullie, is alles in orde?' klonk de stem van mijn moeder hysterisch in de hoorn. Ik stelde haar gerust en vertelde dat we in oma's huisje zaten. Ze begon weer te schreeuwen, maar ik onderbrak haar tirade: 'Mama, hou nou even je mond! Pascal is in levensgevaar en wij waarschijnlijk ook. Mama ... ze hebben papa vermoord ...'

'Wat!' zei mijn moeder, en daarna meteen weer beheerst: 'Weet je dat zeker?'

'Waarschijnlijk wel,' snikte ik.

'Roza, blijf waar je bent. Ik kom nu naar jullie toe.'

Ik was niet in staat te protesteren, dus ik zei niets meer. We namen afscheid, maar niet voordat ik mijn moeder beloofd had de sloten op alle deuren en ramen te controleren. Ik hing op en staarde naar de cijfers op het beeldscherm van de ouderwetse laptop. In gedachten zette ik een nul voor het getal. 06-49608430: het was een telefoonnummer! Logisch dat Lindel het niet had begrepen: in Frankrijk beginnen mobiele nummers natuurlijk niet met 06, maar hoe had ík het over het hoofd kunnen zien?! Snel toetste ik de getallen in op mijn telefoon en belde het nummer.

'Dit is Colin DeVries. Wat goed dat jullie zo ver gekomen zijn. Ik ben reuzetrots op jullie! Ga naar *www. reisdoorparijs.nl* voor de allerlaatste puzzel. Succes!'

Ik gooide mijn mobieltje in een hoek en gilde naar Lindel: 'Reisdoorparijs.nl, Lindel! Snel, het is de laatste puzzel!'

De secondeteller stond op 159.552 en tikte lustig door. Lindel typte het nieuwe internetadres in de bovenbalk en staarde naar een kleurenfoto van een Frans metrostation, die op het beeldscherm verscheen.

'Komt dit je bekend voor?' vroeg ik.

'Ja,' stamelde Lindel zachtjes. 'Dit is bij mij om de hoek ... Saint Sulpice. Colin moet geweten hebben waar wij woonden ...'

Hij schoof met de cursor over de foto en ik zag dat die bij de trap in een handje veranderde. Lindel klikte. De foto verdween en werd vervangen door eentje van een metro. Het handje verscheen opnieuw toen Lindel de cursor over de deuren heen en weer bewoog. Hij klikte en ging de metro binnen.

Terwijl Lindel verder speelde, ging ik eindelijk koffiezetten. Ik wist niet hoelang we nog wakker moesten blijven, maar ik vermoedde dat ik de cafeïne goed kon gebruiken.

Nog even, dacht ik, en dan weten we hoe dit afloopt. Ik kon alleen maar hopen dat we op tijd zouden zijn om Pascal te redden.

My name is ...

'Gaan we het redden?' vroeg ik, terwijl ik op de secondeteller wees. We waren alweer een hele tijd aan het puzzelen (en hadden vele koppen koffie gedronken) en de teller zat inmiddels onder de 15.000 seconden. Dat betekende dat we minder dan een dag overhadden, mits we niet gingen slapen. Geen idee wat er zou gebeuren als we de nul bereikten; misschien zou het scherm op zwart springen. Maar hoe dan ook zouden onze kansen om het computerprogramma te vinden verkeken zijn.

Ik keek op de elektrische klok boven de open haard. Het was een lange reis van Hilversum naar Aalten en mijn moeder moest net als wij vier keer overstappen om hier te komen. (Misschien werd het toch eens tijd dat ze haar rijbewijs haalde. Ze blijft maar wachten tot ik achttien word, zodat ik haar chauffeur kan spelen – nou, mooi niet.) Waarschijnlijk zat ze nu ergens in de trein in de buurt van Zutphen. Het zou mooi zijn als we resultaat konden boeken voordat ze hier aankwam.

Deze laatste puzzel was letterlijk een reis door Parijs. We liepen over de Champs Elysées langs allerlei bekende en minder bekende gebouwen. En continu moesten we puzzels oplossen die op muren of deuren waren geschreven. De meeste waren goed te maken, maar nu zaten we helemaal vast. We bevonden ons (virtueel althans) voor een gebouw met een automatische deur die helaas niet automatisch openging. Als we erop klikten, verscheen er een *pop-upscherm* waarin we een *username* en *password* moesten intikken. We hadden al van alles geprobeerd, maar niets werkte, niet onze namen, of die van onze moeders, of allerlei variaties daarop. We hadden van plaats gewisseld en ik klikte op iedere pixel die ik kon vinden. Ook veranderde ik van alles in het internetadres bovenin, maar ook dat leverde niets op, behalve foutmeldingen en waarschuwingen.

De automatische deur bevond zich in een muur die vol graffiti was gespoten. Lindel en ik hadden allebei al geprobeerd te ontcijferen wat er stond, maar zonder succes. Waarschijnlijk betekende die graffiti niets en moesten we anders denken.

Lindel kwam de kamer binnen met verse koffie voor mij en cola voor zichzelf, toen er op de keukendeur werd geklopt. Dat moest mijn moeder zijn; ik had de sleutel immers meegenomen.

'Maak jij de achterdeur even open, Lindel? De sleutel zit in de deur.'

Ik keek naar de klok: dat had ze snel gedaan. Zou ze een taxi genomen hebben vanuit Utrecht, in plaats van de trein?

Lindel liep naar de keukendeur (niemand gebruikte de voordeur in het dorp) en draaide de sleutel om. Even zag ik hem aarzelen, maar toen werd de keukendeur bruut opengeworpen. In plaats van mijn moeder kwam er heel iemand anders binnen. Ze had haar witte bontmantel omgewisseld voor een zwartleren jas, maar het was onmiskenbaar ...

'*You?*' schreeuwde ik. '*You killed my father!*'

'*Yes. I am sorry.*' Ze haalde haar schouders op. '*He did not cooperate. Are you going to cooperate?*'

'Wie ben je? Wat wil je van ons?' vroeg Lindel in het Engels.

'*You can call me Angelique.* En het lijkt me duidelijk wat ik wil. De kluissleutel, natuurlijk, wat dachten jullie? We weten dat jij hem uit de envelop hebt gehaald, Lindel; je hebt ons flinke vertraging bezorgd. Gelukkig konden wij de verloren tijd goed gebruiken om de puzzels op te lossen en de locatie van de kluis te achterhalen.'

Ze liep rechtstreeks naar onze laptop toe.

'Ian Fleming,' zei ze, terwijl ze naar het scherm wees. 'De schrijver van de James Bondverhalen. Zie je die puntjes op de muur? Dat zijn morsetekens, er staat Ian Fleming.'

Angelique boog zich voorover over het toetsenbord. Even twijfelde ik of ik haar moest proberen aan te vallen, maar ik durfde niet. Als zij inderdaad mijn vader vermoord had, wat voor kans maakte een dertienjarig meisje dan tegen zo'n monster?

Ik zag hoe de vrouw als *username* 'Ian' invoerde en als *password* 'Fleming'. De foto van de deur verdween en er verscheen een foto van een heel druk treinstation.

'Wat zijn morsetekens?' vroeg ik aan Angelique. Ik kende alleen maar *Inspector Morse*, van de televisie.

Lindel antwoordde in haar plaats: 'Dat is iets wat zeelieden vroeger gebruikten, morsecode. Puntjes en strepen. Drie puntjes, drie streepjes en drie puntjes betekent SOS. Dat is trouwens Gare de Lyon daar op de foto.'

Ik zag hoe Angelique nog een paar keer doorklikte, totdat ze (virtueel) voor een serie kluisjes stond. Op een van de kluisdeurtjes was een kruis geschilderd.

'Het enige wat nog ontbreekt, is de kluissleutel,' zei ze, terwijl ze zich omdraaide en op Lindel afliep. Ze greep hem bij zijn keel en fluisterde: 'We hebben nog maar weinig tijd.'

'Ik heb de kluissleutel niet meer!' Lindel hapte naar adem. Ik zag hoe de vrouw zijn keel steeds harder dichtkneep.

'Ik hoop voor jou dat je liegt, anders heeft je moeder straks helemaal geen kinderen meer ...'

Lindel liep rood aan en stamelde schor: 'Alsjeblieft! Je moet me geloven, ik ...'

'Hij heeft de kluissleutel aan mijn moeder gegeven!' gilde ik.

'Roza?!' Lindel keek mij verbijsterd aan.

Ik schudde mijn hoofd en zei het nog eens in mijn beste Engels: 'Mijn moeder heeft de kluissleutel. Ze heeft de Thalys genomen toen ze hoorde dat de laatste puzzel een reis door Parijs was. Ze wacht op ons telefoontje. Zodra wij de kluis hebben gelokaliseerd moeten we haar opbellen.'

Ik ratelde alsof mijn leven ervan afhing en moest opletten dat ik niet over mijn woorden struikelde. Ik weet niet of mijn Engels superperfect was, maar de vrouw leek me te begrijpen, want ze liet Lindel uiteindelijk los.

Hij begon meteen hijgend naar adem te happen. 'Roza,' rochelde hij, 'wat doe je?'

'Ons leven redden, en dat van je broertje,' antwoordde ik in het Engels, zodat ik zeker wist dat Angelique me kon verstaan. 'Wat kan mij dat stomme computerprogramma schelen?! Vanaf nu doen we precies wat deze vrouw wil!'

'Heel verstandig, jongedame,' antwoordde de vrouw. 'Luister goed wat je moet doen. Bel je moeder en vertel haar dat ze op Gare du Nord moet wachten; dat is waar de Thalys aankomt. Zeg haar dat ze naar de stationsrestauratie moet gaan. Daar zal ze benaderd worden door mijn opdrachtgever. Vertel haar wat ik jullie zal aandoen als ze niet gehoorzaamt ...'

Ik slikte.

'Mijn opdrachtgever zal de sleutel in ontvangst nemen en het computerprogramma oppikken op Gare de Lyon. Zodra hij belt en doorgeeft dat de cd-rom in ons bezit is, laten we jullie én Pascal vrij.'

Ik knikte ten teken dat ik het begrepen had, al geloofde ik er helemaal niets van. We wisten tenslotte wie ze was. We hadden haar gezicht gezien en gekoppeld aan dat van Diana's dochter Sarah, als ze inderdaad haar dochter was. Ik pakte mijn mobiele telefoon van de grond en belde mijn moeder.

Moment of truth, stel me niet teleur, mama. Gelukkig nam mijn moeder meteen op en zei: 'Roza, ik ben er bijna. Nog ongeveer twintig minuten, vermoedelijk. Alles goed daar?'

'Mama?'

'Wat is er, Roza?'

'Mama, die vrouw met die witte bontmantel is hier, en ze heeft een pistool.' Ik had haar vuurwapen nog niet gezien, maar vertrouwde erop dat ze het had meegenomen.

'*Talk English!*' snauwde Angelique. '*I want to hear what you tell her!*'

Ik schakelde over op Engels en herhaalde: 'Mama? Die vrouw is hier en ze heeft een pistool. Ik heb haar verteld dat we jou de kluissleutel hebben gegeven en dat je onderweg bent naar Parijs met de Thalys.'

'Wat? Waar heb je het over? Ik ben ongeveer bij Winterswijk, ik ...'

Gelukkig had ik een mobieltje zonder speakerstand, zodat mijn moeder mij niet kon verraden. Ik probeerde het opnieuw. 'Mama, luister, ze weten alles, dat Lindel de kluissleutel uit de envelop heeft gestolen en dat we jou alvast naar Parijs hebben gestuurd. Je moet op Gare du Nord wachten en daar de kluissleutel aan haar opdrachtgever overhandigen. Als je dat weigert, gebeuren er verschrikkelijke dingen met ons ...'

'O, Roza.' Ik hoorde mijn moeder zacht snikken. 'Als ze jou wat aandoet, Roza ...'

'Mama, ze is hier helemaal alleen, zonder ...'

Angelique had er schoon genoeg van. Ze greep mijn mobiele telefoon uit mijn handen en schreeuwde in de hoorn: *'You listen to me now, did you hear what your daughter just said?'*

Ik sloot vermoeid mijn ogen en haalde diep adem. Snap mijn boodschap alsjeblieft, mama, snap het, prevelde ik.

'That's right. And as soon as you arrive in Paris you are going to wait till someone approaches you.'

Angelique verbrak de verbinding en zei meesmuilend: *'I think she finally got the message.'*

I think she did, you bitch, I think she did, dacht ik.

'So, what do we do now?' vroeg Lindel.

'Now we wait,' antwoordde Angelique.

Jennifer

We hoefden niet lang te wachten. Eerst belde Angelique haar opdrachtgever en hield een (voor mij) vrijwel onbegrijpelijk verhaal in het Frans. Ik verstond er nauwelijks iets van, maar net genoeg om te vermoeden dat ze erin getrapt waren. Ik hoorde Gare du Nord en mijn moeders naam meerdere keren langskomen. Na een aantal minuten beëindigde Angelique het telefoongesprek en begon te ijsberen door de huiskamer. Lindel en ik werden gedwongen naast elkaar op de bank te gaan zitten en mochten niet bewegen of met elkaar praten.

Na een angstig uur, waarin Lindel en ik meerdere keren toegesnauwd kregen dat we onze mond moesten houden, behalve als we echt wat zinnigs te zeggen hadden, maar dat het dan in het Engels moest, werd er geklopt.

'Hallo, is er iemand thuis?' hoorde ik een mannenstem roepen. Angelique keek mij met een vragende blik aan en ik haalde verbaasd mijn schouders op.

'Misschien is het de buurman?' antwoordde ik met kloppend hart.

Angelique haalde haar pistool tevoorschijn en richtte het op Lindel. Ze gebaarde naar mij: 'Doe open en zeg dat er niets aan de hand is.'

Ik liep langzaam naar de deur, alsof het een doodnormale avond was. Ik keek door het keukenraam en zag een politieagent en mijn moeder staan. Ik opende de deur. Mijn moeder legde haar vinger op haar lippen, schudde haar hoofd en verdween samen met de agent uit het zicht. Oké, ik hoopte dat ze alles onder controle had. Ik keek opzij naar Angelique, die enkele stappen naar mij toe kwam, Lindel voor zich uit duwend. Ze hield het pistool tegen zijn hoofd aangedrukt.

'Ik zie helemaal niemand,' zei ik verbaasd. 'Misschien was het een kat?'

'*Cats don't talk,*' antwoordde ze bruusk, en ze kwam naast me staan. Ze keek spiedend naar buiten, de donkere tuin in. Ze richtte haar pistool naar buiten en schreeuwde: '*Come out, come out, wherever you are!*'

Op dat moment verschenen er zeven geüniformeerde politieagenten, die Angelique onder schot namen. Ik greep Lindel bij zijn middel en dook samen met hem naar de grond.

'Handen omhoog! U bent gearresteerd! *Drop your weapon, you are under arrest!*'

Even dacht ik dat Angelique het erop zou wagen, maar ze zag dat ze geen kans maakte tegen zo'n overmacht. Ze slaakte een Franse krachtterm, liet haar wapen vallen en stak haar handen omhoog. Een van de politieagenten drukte haar krachtig tegen de muur en fouilleerde haar. Terwijl hij haar van alles toeschreeuwde, boog hij haar handen naar achteren en deed handboeien om. Zijn collega hield nog steeds zijn wapen op haar gericht. Daarna voerden ze haar af naar een politiewagen die verderop verborgen stond tussen de bomen. Mijn moeder kwam aanhollen met een politieagent en omhelsde me zo stevig dat ze me bijna fijn drukte, terwijl ze ondertussen steeds maar mijn naam bleef roepen. Ik begon te snikken van verdriet en opluchting en alles tegelijk en mijn moeder ging meedoen en toen barstte ook Lindel eindelijk in huilen uit.

FACES and Names

Het eerste wat ik deed toen we allemaal weer bij-
gekomen waren van de schrik, was mijn moeder
laten regelen dat we pas de volgende morgen een ver-
klaring hoefden af te leggen op het politiebureau. Mijn
moeder hing een erg geloofwaardig verhaaltje op over
hoe overstuur Lindel en ik waren en dat we eerst heel
graag wilden slapen. Een rechercheur twijfelde en zei dat
het gebruikelijk was om meteen een aantal vragen te be-
antwoorden, maar liet zich vervolgens toch overhalen.
Typisch mijn moeder.

Direct nadat hij vertrokken was, gingen we gedrieën
rond de keukentafel zitten.

'Lindel,' zei ik zakelijk, 'heb jij verstaan wat Angelique tegen die Little zei, door de telefoon?'

Lindel knikte: 'Hij stond volgens mij bij Gare de
Lyon te wachten of er iemand zou komen opdagen met
de kluissleutel. Hij is nu onderweg naar Gare du Nord,
zogenaamd naar je moeder toe.'

'Mooi zo, daar hoopte ik eigenlijk al op,' zei ik. 'Dan
hebben we zeker een uur of twee voordat hij argwaan
krijgt. Lindel, hoe ver van Gare de Lyon zit jouw moeder nu?'

'Anderhalf uur, schat ik. Misschien korter als ze een
taxi neemt. Ze zit in een hotel, precies zoals je zei.'

'Bel haar onmiddellijk op en laat haar zo snel mogelijk naar het treinstation gaan. Ze moet het computerprogramma uit de kluis oppikken voordat Benjamin Little weer terug op zijn uitkijkpost is.'

'Oké,' zei hij. Hij pakte zijn mobieltje en begon driftig toetsen in te drukken. Hij gaf zijn moeder snel een paar instructies en hing daarna op. 'Ze is onderweg. Ik hoop dat je weet wat je doet ...' (Dat hoopte ik ook. Als op het treinstation nog iemand stond te wachten, was alles verloren ...)

'Dat weet ik; vertrouw me nou maar,' blufte ik.

'Roza?!' Mijn moeder stond op ontploffen. 'Vertel me nu eindelijk eens wat hier allemaal aan de hand is.' Ze had inmiddels al haar derde sigaret opgestoken en de kamer begon vreselijk naar sigarettenrook te stinken. Ik zei er maar niets van en begon te vertellen wat we allemaal meegemaakt hadden.

Een enerverend uur later was mijn moeder eindelijk helemaal bijgepraat. Ik ging achter de laptop zitten en zocht net zolang internationale nieuwssites af tot ik twee geschikte foto's had gevonden: eentje van Sarah en eentje van haar boze pleegmoeder (of pleegloeder, zoals Lindel haar steevast bleef noemen). Toen belde Marie-Julie dat ze een envelop in haar handen had met onze namen erop. Ik slaakte een zucht van verlichting en vroeg Lindel of ik haar even mocht spreken. Hij gaf me zijn mobieltje.

'Marie-Julie? Weet u ... weet je of er een internetcafé in de buurt is van het treinstation? Ja? Bel me meteen wanneer je daar binnen bent.'

Tien minuten later ging Lindels mobieltje opnieuw. Ik nam op en vertelde Marie-Julie de envelop open te maken en de cd-rom in de computer te doen. Ze checkte op mijn verzoek of het programma van mijn vader er inderdaad op stond (ja) en hoe omvangrijk het was. Het was 35 megabyte; te groot om te mailen, maar daar bestonden ook internetoplossingen voor. Ik vroeg haar te surfen naar *www.yousendit.com*, een website waarvandaan je grote bestanden kunt versturen. Vervolgens moest ze het programma mailen naar mijn moeders e-mailadres. Een paar minuten later meldde de laptop dat we nieuwe mail hadden binnengekregen. Ik klikte op de link om het programma FACES te downloaden. Korte tijd later had ik het programma geïnstalleerd en konden we bekijken of het inderdaad zo briljant was als Colin ons had doen geloven. Ik *uploadde* de twee foto's van Sarah en Angelique. Na enkele seconden kwam er een lange lijst van websites in beeld, waarop foto's van de twee te zien waren. De meeste waren recent en berichtten over Sarah en Diana, maar de laatste paar waren heel anders.

'Bingo!' zei ik, en ik draaide de laptop zo dat mijn moeder en Lindel konden meekijken. We lazen een bericht over ene Jennifer die de eerste prijs in een turnwedstrijd had gewonnen. Naast haar stond haar trotse instructeur, die wij onder de naam Angelique kenden, maar die hier Elizabeth heette.

'Geen Sarah, dus,' zei mijn moeder verbaasd.

'Nee,' zei ik, 'en ze is helemaal geen dochter van Diana. Als de pers deze internetsites onder ogen krijgt ...'

'En nu?' vroeg Lindel.

'Nu gaan we meneer Little bellen,' zei ik, 'en niet te vergeten, dit programma mailen naar de notarissen Hughes en Janssen. En daarna gaan we naar Parijs.'

Parijs

Ik heb weinig van de taxirit naar Roosendaal meegekregen. Ik was zo uitgeput, dat ik vrijwel direct in slaap viel toen ik op de achterbank plaatsnam. Ik herinner me nog dat we overstapten op de Thalys, maar daarna sliep ik meteen weer. Hoe mijn moeder zo snel kaartjes voor Parijs heeft kunnen regelen, begrijp ik trouwens niet, want volgens mij moet je normaal geruime tijd van tevoren reserveren. Maar ja, dat is nou eenmaal mijn moeder.

Het was ook mijn moeder die Benjamin Little opbelde met ons ultimatum (want hoe stoer ik ook had geleken de afgelopen uren, met een ontvoerder bellen durfde ik echt niet). Gelukkig heeft mijn moeder veel ervaring met criminelen en maakte ze hem snel duidelijk dat het menens was. Wij hadden het computerprogramma, vertelde ze, en zodra Pascal veilig weer bij ons was, zou Little de cd-rom terugkrijgen.

Vlak voor Parijs, werd ik eindelijk wakker. Lindel lag nog te slapen en mijn moeder keek naar mij met een bezorgd gezicht.

'Mam? Zijn we er al?'

'Bijna, Roza, bijna.'

'Is er wat gebeurd, mama?'

123

Mijn moeder schudde haar hoofd. 'Nee, Roza, alles komt goed.'

'Mam? Ik ... ik heb je gisteravond niet alles verteld. Er is nog één ding dat je moet weten. Colin ...'

Ik staarde naar buiten en vocht tegen mijn tranen.

'Colin was ernstig ziek ...' zei mijn moeder monotoon. 'Waarom denk je dat ik zo razend was? Of Marie-Julie zo verdrietig? Omdat de man die ons in de steek gelaten had, die ons zulke prachtige kinderen had gegeven, hun misschien een gen had bezorgd dat op latere leeftijd ...'

'Je wist het?'

'Al zeker een jaar ... Zodra Colin het te horen had gekregen, heeft hij ons meteen ingelicht. O Roza, als ik hem had kunnen vermoorden, dan had ik het gedaan, als het iets opgeleverd had.'

'Maar hij kon er toch niets aan doen?'

'Nee, dat besef ik nu ook wel, liever, maar toen hij het vertelde leek het net alsof hij een doodvonnis over jullie uitsprak.'

Ik bleef even stil. 'Zo voelt het ook, mam ...'

'Roza, volgens de statistieken is de kans dat je het krijgt echt miniem. Ik heb het uitgezocht: de kans dat je een auto-ongeluk krijgt, is vele malen groter. Ik zeg niet dat er helemaal niets aan de hand is, maar echt ... voorlopig is er niets om je zorgen over te maken. Het enige wat je kunt doen, is wat we allemaal moeten doen: iedere dag beleven alsof het de laatste is.'

'Daar zijn we gisteren aardig bij in de buurt geweest,

mam, bij onze laatste dag ...'

'Ja, en kijk eens waar we nu zijn?'

Ik keek naar buiten, zag Parijs en ik lachte.

'Ik heb nog iets voor je, iets wat ik je al veel eerder had moeten geven.' Mijn moeder opende haar Prada-handtas en haalde er een stapeltje brieven uit.

'Je had gelijk: je vader wist van je bestaan, al vanaf dat je vier was en hij ons tegenkwam in Utrecht. Ik had hem verboden contact met je op te nemen en daar heeft hij zich al die tijd aan gehouden, ondanks dat hij eraan kapotging. Pas toen hij hoorde dat hij ziek was, begon hij brieven te schrijven.'

Ik nam de stapel in ontvangst en stopte ze in mijn rugzak. Ze waren nog ongeopend. 'Dankjewel, mama.'

Ik zou eindelijk mijn vader leren kennen.

Eenmaal in Parijs werden we opgewacht door een hysterische Marie-Julie, die ons overstuur de originele cd-rom overhandigde en ons overstelpte met vragen. Ik kalmeerde haar zo goed als ik kon en wees naar de ingang van het treinstation. Daar in de verte kwam een kleine, kale man met een ringbaard aanlopen. Ik herkende hem meteen van het waarschuwingsfilmpje. Hij liep hand in hand met een blond jongetje dat angstig voor zich uit keek. Marie-Julie wilde meteen op haar zoon afrennen, maar gelukkig kon Lindel haar tegenhouden: 'Nog heel even wachten, mama, heel even.'

Mijn moeder haalde de cd-rom uit haar jaszak en

hield hem voor zich uit. Benjamin Little stopte een paar meter voor ons.

'Leg de cd-rom op de grond,' beval hij met zijn vreemde accent. Mijn moeder gehoorzaamde. Ik ving een glimp op van een pistool, toen hij zijn hand uit zijn zak haalde en ons gebaarde dat we verder naar achteren moesten lopen. Marie-Julie begon te gillen dat hij Pascal moest laten gaan. Lindel en ik hielden haar tegen en duwden haar naar achteren. De kale man boog zich voorover en pakte het cd-doosje van de grond. Hij bekeek de cd-rom erin en knikte goedkeurend.

'Deze is inderdaad van mijn bedrijf afkomstig. Jullie hebben geluk gehad.'

Hij duwde Pascal onverwacht hard naar voren, zodat hij op de grond viel en begon te huilen. Terwijl wij naar hem toe snelden, rende Benjamin Little zo hard mogelijk weg. Ik had wel een vermoeden wat hij ging doen: het programma gebruiken om de sites te vinden met turnster Jennifer en haar coach Elizabeth erop, zodat ze verwijderd konden worden. Geen tijd te verliezen, dus.

Ik ging op mijn hurken zitten, opende mijn moeders tas en klapte de laptop open. Ik had een mailtje klaarstaan in Gmail, op naam van *youshouldreadthisplease@gmail. com*, met daarin alle internetadressen die we gevonden hadden met de foto's van Jennifer en haar moeder, toen ze nog geen Sarah en Angelique heetten. In de adressenlijst stonden alle gerenommeerde persbureaus van de wereld. Gelukkig dat tegenwoordig alle belangrijke treinstations draadloos internet aanbieden, bedacht ik, terwijl ik op *send* drukte. Ik verwachtte niet dat meneer Benjamin Little lang van 'zijn' computerprogramma zou genieten. Mooi, dan was het nu tijd om kennis te maken met de broer van mijn halfbroer. (Mijn halfhalfbroer? Kwartbroer?)

'*Bonsoir*,' zei ik tegen het blonde jongetje dat voor mij stond. '*Je suis Roza. Que c'est comment?*' En dat zonder één keer te stotteren.

De eerste dag van de rest van je leven

'Mijn naam is Roza Poorterman. Ik leerde mijn vader pas kennen toen hij overleden was.' Ik pinkte een traan weg en keek naar de anderen. Mijn moeder, Marie-Julie, Lindel, Pascal en ik stonden rond het pas gedolven graf waarin mijn vader zojuist te ruste was gelegd. Een stukje verderop stond – op gepaste afstand – de Franse begrafenisondernemer.

'Ik leerde je kennen door een paar filmpjes, brieven en een hele serie vreemde, maar ook te gekke puzzels. Ik weet zeker dat Lindel en ik er onder andere omstandigheden veel plezier aan zouden hebben beleefd, papa.'

Mijn broer glimlachte, mijn broer Lindel.

'Je hebt mij een prachtige erfenis gegeven, het mooiste cadeau dat ik ooit gekregen heb: mijn familie.' Ik keek naar beneden, naar het graf. 'Dankjewel, pap. Je was de afgelopen dagen meer aanwezig dan al die jaren daarvoor ...'

Ik draaide me abrupt om en liep samen met de rest van de familie naar de uitgang van de begraafplaats. Het was bijna Kerstmis, en mijn moeder en ik hadden besloten dat we de laatste dagen van het jaar in Parijs zouden doorbrengen. Vandaag was de eerste dag van de rest van mijn leven. Ik was van plan ervan te genieten, van iedere seconde die ik nog had.

Naschrift

De eerste week dat Pascal weer thuis was bij zijn moeder, werd hij iedere nacht schreeuwend wakker, maar nu gaat het gelukkig weer heel goed met hem. Hij gaat naar een andere school, waar hij veel nieuwe vriendjes heeft gemaakt, en waar extra goed op hem gelet wordt.

Sarah werd ontmaskerd als Jennifer, maar kreeg geen gevangenisstraf, omdat ze gedwongen bleek te zijn door Benjamin Little om mee te werken aan de oplichtingspoging. Samen met Elizabeth/Angelique verdween Little in 2007 achter de tralies. Hij wordt niet voor 2015 terug in de maatschappij verwacht. 'Angelique' is veroordeeld wegens de moord op Colin DeVries. Ze kreeg levenslang.

Roza is nooit meer teruggekomen naar Nederland, behalve om haar spullen te pakken. Ze woont nu met haar moeder in een luxeappartement in Parijs (met maar één extra kamer) en zit op dezelfde internationale school als haar broer Lindel. Samen zijn ze van plan een jaar in de Verenigde Staten te gaan studeren, wanneer ze oud genoeg zijn (en wanneer hun moeders hen durven te laten gaan). Roza houdt op mijn verzoek nog steeds regelmatig haar Nederlandse Hyvespagina bij. Je kunt haar vinden op: *http://roza-poorterman.hyves.nl.*

Het programma FACES is aangekocht door een grote softwaremaatschappij uit Amerika voor maar liefst achttien miljoen dollar. Het zal over een paar jaar onder een andere naam op de markt verschijnen.

Woorden van dank

Mijn oprechte dank gaat allereerst uit naar 'Roza'. Er is heel wat voor nodig om zo eerlijk je hart uit te storten bij een vreemde, en dat heb ik gewaardeerd. Ik hoop dat ik je vertrouwen niet heb beschaamd en dat je jezelf en je familie op de correcte manier terugvindt in dit verhaal. Alles wat goed en mooi is aan dit boek, heb ik aan jou te danken. Alles wat onjuist is, mag je mij aanrekenen.

Daarnaast dank ik 'Lindel', 'Margriet', 'Marie-Julie' en 'Pascal' dat ze ons toestemming hebben gegeven om hun verhaal te vertellen. Dank ook aan 'Colin'. Ik hoop dat je de rust hebt gevonden die je zocht. Geen dank aan 'Benjamin' en 'Angelique'. Ik hoop dat jullie wegrotten in jullie cel ...

Vreselijk veel dank aan Anke en Roel voor het vertrouwen in mijn capaciteiten als schrijver, aan Marc, Jan-Jaap, Werner en Aernout voor hun internetideeën, en aan Johan, Marlijn, Robbert, Marco, Sonja en Avital voor hun inspanningen om iedereen op de internetsites onherkenbaar te maken voor de boze buitenwereld. Dank aan Joyce, Noey, Zino, Marlijn en Rob voor het prachtige omslag en voor het gebruik van hun beeltenissen. Dank ook aan Cornelia, Hans en Christa voor de schrijfplekken, weg van huis en werk. Aan Jan en Janey, voor Victor, en aan Victor en Rob voor de filmpjes. Ontzettend veel dank aan Anna, Edwin, Daya, Anne, Goretti, Tanja, Marion, Rutger en Nico voor het kritisch nalezen en corrigeren van het manuscript en aan Rebekka, Jennifer en Yvonne voor de promotie van het boek en de internetsites.

Als laatste mijn liefste dank aan mijn vrouw Tanja en onze zoon Daniel. Jullie zijn mijn inspiratiebron, mijn liefde en mijn leven.

Marcel van Driel
Utrecht, 30 mei 2007
www.marcelvandriel.nl

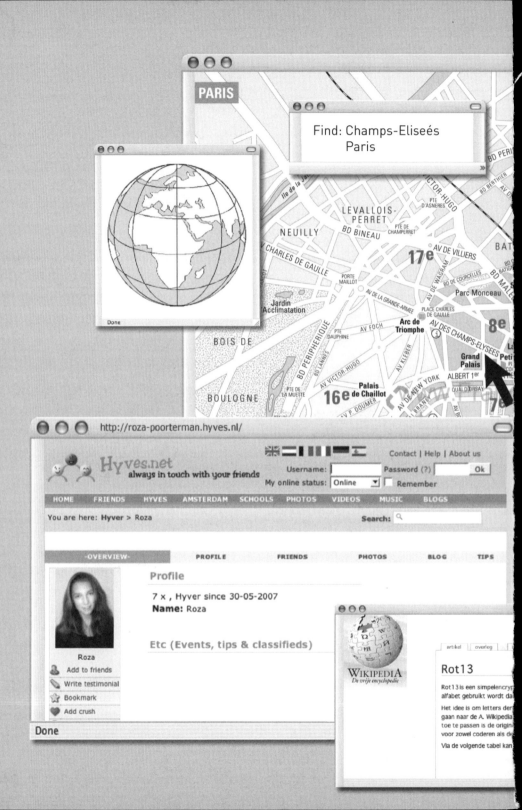